汚れた「平和の祭典」

井沢元彦

2022年
北京オリンピックを
ボイコットせよ

ビジネス社

はじめに

あと1年もたたず、予定どおり事《こと》が無事に運ぶならば、２０２２年に北京冬季オリンピックが開催される。

14年前の２００７年、私は翌２００８年の北京オリンピック開催を前にして、「断固ボイコットすべきだ」と主張し、『中国 地球人類の難題』（小学館）を著した。今一度、振り返り、今日《こんにち》の中国を知ると、この本は予言的な本ではなかったかと思われる。

私がそう主張したのは、「歴史の教訓」に従ったからである。歴史的に見た、中国に対する私なりの危機感ゆえの刊行だったが、お祝い事に水を差すとして、日本のメディアからは奇人変人扱いをされた。そして、当然のごとく北京大会は予定どおり開催されて、「中国も立派にオリンピックを開けるまでに成長した」と、絶賛のうちに幕を閉じた。

しかし、人権も民主主義も存在しない独裁国家、中国に「平和の祭典」の主人公になる資格はあるのだろうかという当時の危惧は、今日ますます現実化している。

一言で言えば、それは、「中国による五輪開催は、世界平和にはつながらず、むしろ逆効果になるのではないか」という危惧だ。

これは、ただの漠然とした予感ではなく、私には歴史家としての明確な根拠がある。この根拠を示そうというのが、私が本書を書いた理由だ。

前回の北京オリンピックの際も、中国での開催を懸念する声は世界中にあった。詳細は本文に譲るが、当時、30万人が殺害されたといわれるスーダンでの「ダルフール紛争」で、中国のみが武器供与をしていた問題があり、さらにはチベット民族に対する弾圧問題があった。世界環境を無視した大気汚染や、他国にも被害が及んだ中国製食品問題もあった。

しかし一方で当時、ＩＯＣ（国際オリンピック委員会）が集約した世界の世論は、「オリンピックの成功によって中国にも、世界の一員であるという自覚が生まれ、遠からず民主化の道を歩むことになるだろう。世界は、普通の国になろうとする中国の未来に手を差し伸べよう」というものだった。

それが甘い考えだったことを、今、世界は思い知ったはずである。

私の言う「歴史の教訓」というのは、人類は前世紀に、同じようなお人好しの行為をして、取り返しのつかない過《あやま》ちを犯してしまった〝前例〟のことを指す。

そう、ナチス・ドイツが開催した1936年のベルリン・オリンピックだ。

その大成功によって最も得をしたのが独裁者アドルフ・ヒトラーで、ドイツは最多のメダルを獲得。やがてオリンピックが終了すると、本格的な記録映画を公開して国内の熱狂的支持を集め、開催時には隠されていた暴力の芽《め》を露《あら》わにしていった。世界がナチスの狂気の本質に気づいたときには、二度目の世界大戦も、ホロコースト（ユダヤ人大虐殺）によるユダヤ人の悲惨な運命も、避けられないものとなっていたのだ。

オリンピックは、世界がドイツの実力を認めたとして、ヒトラーによって「ショー」として徹底的に利用され、世界を破滅させるきっかけともなったわけだが、このことは本文に詳しく書く。

これとは逆の例が、1980年のモスクワ・オリンピックだ。

前年、ソ連がアフガニスタンに軍事侵攻した暴挙に対し、日本を含む世界各国がボイコットに踏み切った。国際的信用が失墜した一党独裁国家、ソ連がまもなく崩壊したことも、歴史の教えるところである。

オリンピックが単なる「スポーツの祭典」ではなく、開催国の国際的信用にかかわる、政治的なビッグ・イベントであることが、わかろう。

2022年北京冬季大会について、アメリカ国務省はボイコットを示唆し、EUもウイグル族弾圧に懸念を表明したが、中国はこれに強く反発し、「ウイグル族など少数民族への人権侵害、弾圧は一切ない」と公言した。

中国のこの発言をそのまま信じる人間は、中国共産党員以外、世界にひとりもいないだろう。だが、もしこのまま北京冬季大会が開催されれば、習近平や中国政府は間違いなく、「世界はわれわれの行動を正しいと支持した。アメリカやEUの言っていることこそがウソであった」と、堂々と世界に向けて宣伝するはずだ。

世界がわれわれを認めた、と。

北京冬季大会が成功裏《り》に終われば、中国の対外侵略や人権弾圧に、よりいっそうの拍車がかかるのは、目に見えている。世界のお墨付きを得たと、自信を深めるからだ。

これが、人類がかつて見た光景と重なって見えるのは、私だけではないだろう。歴史を知るということが、いかに大切なことか。ナチス・ドイツが愚挙に出るきっかけを与えた、過去の二の舞いを演じてはいけない。そのことを、私は本書を通じて強く訴えていく。

中国は、世界一の経済大国へと邁進《まいしん》している。GDPは2020年、アメリカの7割を超えた。「一帯一路」で進める対外援助や投資、新型コロナのワクチン外交によって、国際社会での威信強化を図っている。新疆《しんきょう》ウイグル自治区やチベット、香港での人権侵害、台湾海峡や南シナ海での違法な行動への国際批判にも、動じない。

中国の基本姿勢は「アメリカや西側諸国が、国際世論を代表することはない」（2021年3月の米中外交トップ会談での楊潔篪《ようけつち》中国共産党中央政治局委員の発言）というものだ。北京冬季大会が成功すれば、この姿勢が証明されたとして胸を張ることは間違いない。だが、そうなってからでは遅いのだ。

2021年3月12日、IOCのトーマス・バッハ会長は「われわれは超世界政府ではない」と発言した。中国の人権侵害をめぐり、冬季大会ボイコットを求める声にＩＯＣは同調しないことを表明したわけだ。

政治には関与しないという、もっともらしい声明だが、中国の悪行をなかったことにしようとしてまで開催を強行することに対し、世界は首を傾《かし》げ始めている。今や国際問題化している中国の人権侵害に、ＩＯＣはどう対処するのか。心配しながら世界は見守っているのだ。


中国のスタンダードに世界が支配されないようにするためには、中国が自らの過ちを認識して、変わってもらわなければならない。そのための第一歩、それが北京冬季オリンピックのボイコットなのだと、私は強く考える。

そのためにも、われわれは今、改めて「歴史の教訓」に目を向けなければならない。まずは、中国とはどういう国か。そのことを知ることとしよう。

序章 なぜ、中国は人類にとって「危険な存在」なのか？

第1章

北京オリンピックをボイコットすべき「たったひとつの理由」

第2章

中国で進む少数民族に対する「ジェノサイド」の実態

第3章

中国の近現代史に秘められた「差別、暴力の源流」

第4章

ウイルス以外にも世界に拡散する「中国産の害悪」

終章

追悼　李登輝元台湾総統との特別対談
「台湾の選択、日本の将来」

本書関連オリンピックと日中関係史

（グレーの網掛け）＝オリンピック関係の出来事

1911年	12月、辛亥革命が勃発し、翌年1月、孫文率いる中華民国建国
1914年	7月、第1次世界大戦が勃発（〜18年11月）
1916年	この年に開催予定の第6回ベルリン大会が第1次世界大戦の影響で中止
1921年	7月、上海で毛沢東らが中国共産党を創設
1933年	アドルフ・ヒトラー率いるナチスがドイツで政権樹立
1936年	第11回ベルリン大会開催
1937年	7月の盧溝橋事件をきっかけに日中戦争勃発
1938年	戦争の影響で1940年に開催予定の第12回東京大会を日本が返上
1939年	9月、ナチス・ドイツのポーランド侵攻で第2次世界大戦勃発
1940年	東京の代替地に名乗りを上げたヘルシンキも戦争の影響で開催を放棄
1941年	12月の真珠湾攻撃で太平洋戦争勃発
1944年	この年に開催予定の第13回ロンドン大会が第2次世界大戦の影響で中止
1945年	5月にドイツ、8月に日本が降伏し第2次世界大戦終結
1948年	第14回ロンドン大会が開催されるも、日本とドイツの参加は不承認
1949年	10月、国共内戦に勝利した中国共産党が中華人民共和国建国し、敗れた蒋介石率いる国民党は台湾へ脱出
1959年	3月、チベット蜂起が勃発し、ダライ・ラマ14世がインドに亡命

1964年	10月、アジア初となる第18回東京大会開催
1966年	毛沢東による文化大革命が始まり数千万人以上の被害者が発生（～76年）
1972年	2月、アジア初となる第11回札幌冬季大会開催
	9月、日中共同声明が発表され日中国交正常化
1978年	鄧小平が第2代最高指導者となり「改革開放」政策開始
1980年	第22回モスクワ大会が開催されるも、前年のソ連のアフガニスタン侵攻に抗議し、日本やアメリカなど50カ国以上が参加をボイコット
1984年	第23回ロサンゼルス大会が開催されるも、前回の報復でソ連など東欧諸国が参加をボイコット
1989年	6月4日、民主化デモを人民解放軍が武力鎮圧する天安門事件発生
1996年	台湾で初の総統直接選挙が行われ李登輝が総統に就任
1997年	イギリスから中国へ香港返還
2008年	第29回北京大会開催
2009年	7月、新疆ウイグル自治区でウイグル人と漢人が衝突し、数千人の死傷者が出るウルムチ市騒乱事件発生
2012年	9月、日本政府が尖閣諸島の国有化を閣議決定
	11月、習近平が第5代最高指導者となる
2020年	コロナ禍で第32回東京大会が翌年に延期される
2022年	第24回北京冬季大会開催予定

序章

なぜ、中国は人類にとって「危険な存在」なのか？

いつまでたっても中国に民主主義が根づかない根本要因とは？

これは日本も含め、世界中の多くの人々が理解していない中国文化の本質なのだが、中国文化（あるいは文明）は民主主義と完全に相反するもので、むしろ民主主義を否定するものだ。驚く向きもあるだろうが、それが冷厳な事実である。その理由を論理的に説明しよう。

なぜ中国は民主主義を否定するのか？

それを知るためには、そもそも民主主義の成立する根本条件は何かを考えてみる必要がある。国王の権威を否定し死刑に処《しょ》したフランス革命のスローガンは「自由、平等、博愛」であったが、この3つが民主主義の根本要件だとして、どれが最も大切か、どれが最も優先するかを考えてみよう。

多くの人は「自由」に目が行くだろうが、実は最も大切なのは「平等」である。人間は国王も庶民もなくすべて平等だと考えてこそ、たとえ国王でも国法を破れば罰せられるべきだという考え方が生まれる。

完全に平等だからこそ、人々は誰に縛られることもなく自由に行動し、発言することができる。また、完全に平等だからこそ「1人1票」でいい、それで公平性を保たれると考える。これは民主主義社会に育った人間が、子どもの頃から頭に叩き込まれていることであり、あなたはこの平等という根本原理を疑ったことはないはずだ。

しかし、ここで白紙に戻って考えてみよう。本当に人間は平等か？

身分とか人種のことを言っているのではない、能力の問題、あるいは品性の問題といってもいい。人間にはきわめて頭がよく優秀な人もいれば、その逆もいる。また、いつも他人の幸せを考えボランティア活動に従事している人間もいれば、人を殺し、ものを盗み、平然としている人間もいる。それが現実だ。

それなのに「1人1票」というのは不合理ではないのか。あなたはそう考えたことは一度もないか？

では、なぜ殺人鬼もマザー・テレサも、同じ人間だから1票ずつでいいという「極端な」考え方が生まれたかというと、それは人類が神という絶対者を信じていたからである。そうした絶対者を想定するからこそ「その下ではすべて平等」という考え方が生まれたのだ。

ここで初めて気がついた方もおられるだろうが、実は文明のなかに民主主義が生まれる最大の必要条件は「絶対者（＝神）の存在を認める」ことであり、私はそうした作用をもたらすものを「平等化推進体」と命名した。神あるいは仏がそれである。

ところが、こうした平等化推進体を持たない文明が、人類のなかにひとつだけある。そういえば、おわかりだろうが、中国文明である。なぜなら、その基礎となっている儒教は「平等化推進体」を完全に否定しているからだ。

知的エリートの心情は、いまだに孔子の教えである「孝」

儒教は紀元前に実在した孔子《こうし》（前552〜前479）の唱えた道徳や哲学を、後世の人間が体系化したものだが、その孔子の言行を、弟子たちがまとめた『論語』のなかに彼自身の言葉として次のようなものがある。

「子《し》、怪力乱神《かいりょくらんしん》をかたらず」（述而篇《じゅつじへん》）

要するに、神とかオカルト現象とか超自然的なものについて孔子は一切語らなかった、というのだ。また弟子が「死」について問うと、「いまだ生についてよくわからないのに、死なんてものがわかるわけがない」（先進篇）と、はぐらかした。

いや正確に現代風に言えば、孔子は科学的に論理的に証明できないものに惑《まど》わされるべきではない、と考えていたのだ。この態度は、こののち中国人の知的エリートたちの基本的な考え方となる。

わかりやすく言えば、神とか死後の世界とか天国とか地獄とか、そんな証明不可能なものを信じる人間は愚かで、知的とはいえない、という態度である。もっとわかりやすく言えば、彼ら儒教の徒《と》から見れば、キリスト教徒もイスラム教徒も仏教徒も、いずれも迷信に惑わされている愚かな人間ども、ということになる。

中国には、のちに仏教やキリスト教も伝わったのだが、庶民はともかく、自分が知的エリートだと考えている中国人の多くの心情は、いまだに儒教である。

では、迷信に惑わされない真の理性を持つ人間だと自覚していた古代中国人は、道徳の基準をどうやって定めたのか。

目に見えないものは信じられない人間でも、ひとつだけ認めなければいけないことがある。それは自分が今、地上に立っているということは親が産んでくれたからだ、ということだ。つまり、父親と母親がいなければ今の自分はない。だから、その両親が自分を生み出してくれたという恩義を認識し、その恩義に報《むく》いる（恩返しをする）ことを道徳の根本におくというのが、儒教なのである。

これを孝《こう》と呼び、親に報恩した理想的な人物のことを孝子《こうし》と呼ぶ。キリスト教世界における聖人のようなものだが、その中身はだいぶ違う。理想とすべき孝子として、郭巨《かくきょ》という男の話が古くから伝わっている。

郭巨の家族は老母そして自分の妻、幼い子どもであった。ところが、きわめて貧しく家族全員を食わせることはできなくなってしまう。どうしてもひとり、家族を減らさなければいけない。

そのとき、彼はどうしたか？

彼が殺すことにしたのは、老い先短い老母ではなかった。子どものほうを生き埋めにして殺そうとしたのである。孝が絶対だからだ。子どもはまた作ることができるが親はかけがえがない、という考え方である。

念のためだが、この話は理想として昔から伝わっており、一昔前の中国なら誰もが知っていた有名な逸話である。ちなみに物語であるから、子どもを殺そうとして穴を掘ったところ、偶然宝物が出てきてめでたしめでたしで終わる。

いずれにせよ、彼が母ではなく子を殺そうとしたことは間違いなく、だからこそ理想の孝子として伝説上の人物になったのだ。

朱子学によって強化された「独善性」が裏目となった清朝の滅亡

直接の弟子ではないが、孔子の教えを発展させたという人物に孟子《もうし》（前372頃〜前289）がいる。孟子は弟子からこういう質問をされた。

もし国王の父親が国の法律で死刑に当たる罪を犯してしまったら、子でもある国王はどうすべきか?

孟子は、ただちに答えた。

「父親を連れて逃げよ」と。

つまり、父親を守ることのほうが国法を守ることより重要なのである。

これは基本的に今も変わらないと言ったら、あなたは驚くだろうか。万人が平等に法を守らなければならないという考え方について、多くの文明では、それは神が与えた法律であるからだ、と説明されてきた。

ところが、中国文明はそうした神のような存在を認めないので、絶対的な道徳の基準である孝を超える法など認めない。言い換えれば、つまり中国においては、公より私が優先されるということでもある。

この儒教が、その基本的考えを受け継いだ朱子《しゅし》（1130〜1200）によって、ヒステリックで排他的な朱子学へと変容した。なぜそうなったかはきわめて重大な問題だが、本題からそれるのでここでは省略する。興味のある方は『逆説の世界史 第1巻 古代エジプトと中華帝国の興廃』（小学館）に、ぜひ目を通していただきたいが、この朱子の「改造」によって、儒教がきわめて独善的なものになったことは覚えておいていただきたい。

また中国は、それより数百年前から歴代の王朝が儒教を試験科目とする「科挙《かきょ》」という国家試験を実施し、その合格者を高級官僚に登用して皇帝を頂点とした統治システムに組み入れるという体制をとっていた。これが中国の本質である。

肝心なことだが、彼らはこの体制を人類で最も優れたものだと考え、中国は世界一の国家、まさに中華の国（世界最高にして唯一の文明国）だと考えていた。

なぜ、そうなるのか？

たとえばフランスのノートルダム寺院、あるいは日本の東大寺大仏殿など、どんな立派な建物であっても、それは「怪力乱神」に惑わされた迷信の生み出した産物にすぎないということになる。

政治制度もそうだ。国王や貴族などというのは、単にその家柄がよかっただけで権力の座に君臨している。だが、中国は違う。人間には、あきらかに格差がある。権勢と能力においても差がある。ならば、人間にとって道徳の根本である儒教（朱子学）を受験科目とした国家試験を実施し、広く国民のなかから優秀な人材を選べばいい。

この試験は誰でも受験できるから、機会の平等性は確保される。その結果、選ばれた優秀なエリートが劣った大衆を指導していけばよいので、それが理想の国家である、ということになる。肝心なのは、人間はそもそも優れた存在ではなく、だからこそ「1人1票」でいいのだという民主主義の根幹をなす思想が、こうした土壌からは決して生まれないということだ。

その中国が、近代においては苦汁《くじゅう》を舐《な》めた。内心馬鹿にしきっていた「迷信を信じる国家」に徹底的に蹂躙《じゅうりん》されたからだ、朱子学によって強化された独善性が裏目となり、外国の優れた文明を取り入れることができず、清朝は屈辱のなかで滅びた。

それを成し遂げた孫文《そんぶん》はキリスト教に影響を受けており、欧米型の民主主義国家を目指したが、平等化推進体のない中国ではそれは不可能で、結局、共産主義を取り入れた毛沢東が中華人民共和国を建設することにより、曲がりなりにも国家を安定させた。

ふたつの北京オリンピックの先に待つ、習近平政権の最終目標とは？

共産主義は、その一党独裁体制が民主主義を阻害する不健全なシステムということで、本家本元のソビエト連邦では70年ももたず崩壊した。しかし中国では、いまだに続いている。

その理由はもうおわかりだろう。

ソビエト、つまりロシアにはロシア正教というキリスト教の伝統があった。ソビエトは無神論を掲げてキリスト教的伝統を破壊しようとしたが、結局その伝統に敗れた。キリストという平等化推進体に、一党独裁の共産主義は敗れたのである。

しかし、中国はそうはいかない。平等化推進体なき文明であるからだ。しかも実は、儒教と共産主義はきわめて相性がいい。その結果、人間に格差があることを前提に選ばれた、優れた一部の人たちが愚かな大衆を指導するという、中国のエリートが最も理想としていた体制が再び実現したのだ。

その中国人エリートから見れば、日本も世界の国々も、まだまだ迷信に惑わされている愚かな国々である。その愚かな国々を世界一優れた中国が教え導くのは当然、という考え方になる。そして今、習近平が目指しているのは、世界の国々が中国にひれ伏し、「主人」として仰《あお》ぐ体制である。要するに、習近平は地球帝国の皇帝になりたいのだ。

同じ中国民族が作った国家あるいは領域でも、民主主義を完全に自分のものにしているところがある。台湾と香港だ。

この共通点はおわかりだろうか。平等化推進体を持つ文明国、日本とイギリスの植民地であったがゆえに、彼らはその感化を受け、民主主義国家になることができた。これを中国本土の立場から見ると、不愉快きわまりない。そもそも台湾や香港は戦争によって奪われたものだ。そして、その理不尽な行為ののち、彼らは「野蛮国」によって「万人は平等」という「迷信」に染まってしまった。

こんな迷信が本土に伝染したら大変なことになる。だから一刻も早く叩きつぶそうというのが、「皇帝」習近平の腹のうちであろう。

2008年の北京夏季オリンピックに続き、2022年の北京冬季オリンピックも成功させれば、彼は中国民衆や若者の熱い支持を受け民主主義国家撲滅に乗り出すだろう。そう目論んでいるに違いない。

まさに、ベルリン・オリンピックで自信をつけた独裁者アドルフ・ヒトラーのように。

第1章

北京オリンピックをボイコットすべき「たったひとつの理由」

「新たな悲劇」を生み出す中国でのオリンピック開催

「中共にプロパガンダの勝利を与えてはならない」

「2022年の北京冬季オリンピックをボイコットせよ」

こう口火を切ったのは、前ドナルド・トランプ共和党政権の国務長官マイク・ポンペオだった。「中共にプロパガンダの勝利を与えてはならない」とし、トランプ政権末期に、アメリカ政府を代表しての公式声明として発表された。

第2次世界大戦終結後の1948年、国連総会において「ジェノサイド条約」が採決されている。

それによると、ジェノサイド（集団殺害）とは単に大量殺戮《さつりく》のみを示すのではなく、次の要件のいずれかを満たせばそれに該当すると、条約では定めている。

●集団の構成員を殺すこと
●集団の構成員に肉体的、精神的に危害を加えること
●肉体の破壊を意図した生活条件を、集団に対して故意に課すること
●集団内の出生を妨げることを意図して、その措置を課すること
●集団の子どもを他の集団に強制的に移すこと

ジェノサイド＝大量に人間を殺す、というイメージが強いが、もっと幅広く適用される危険行為を指《さ》しているのだ。国際社会はこれを許してはいない、ということを、国際条約の形で示したといえる。

この定義に基づけば、中国が新疆で、チベットで、香港で、そして国内各地の民主派に対して、ジェノサイドを強行していることは明らかだ（残念なことに、日本はこの条約の署名、批准、加入のいずれも行っていない。ところが中国は批准している）。

続いて北京冬季オリンピックのボイコットを主張したのは、元国連大使のニッキー・

ヘイリーだった。彼女はＦＯＸニュースへの寄稿でこう書いて、力強く警鐘を鳴らした。

もしナチス・ドイツがその後、どういう存在になるのかがわかっていたら、アメリカは１９３６年のベルリン・オリンピックに参加しただろうか。

中国の対外的脅威と国内の暴政に照らせば、アメリカは２０２２年の北京五輪をボイコットせねばならない。

「はじめに」にも書いたように、私はこのベルリン・オリンピックとナチスの躍進の関係が、北京オリンピック開催と中国共産党のさらなる暴走の歴史的教訓になるということを、著書『中国　地球人類の難題』（小学館）ですでに指摘、予言していた。前の北京大会の１年前にあたる２００７年のことだ。

以下、その内容を適宜交えながら、「２００８年北京オリンピックをボイコットすべきだった理由」、そして「２０２２年北京冬季オリンピックをボイコットすべき理由」について見ていこう。

ベルリン・オリンピック成功の裏で、着々と進められたホロコーストへの道

日本人の多くは「オリンピックは平和の祭典で、開催国の民主化・近代化を推進する特効薬になる」と信じている。

たしかに1964年の東京オリンピックや1988年のソウル・オリンピックには、そうした効果が認められたことは事実だ。だが、まったく逆の例もある。ある国を五輪開催国にしたことによって、世界平和が完全に崩壊した実例である。

それが、ヘイリー元国連大使も指摘した1936年のベルリン・オリンピックだ。この歴史的教訓を、われわれは今もう一度、見直さなければならない。

ナチス・ドイツの残虐性、ホロコーストの非人道性については改めて説明するまでもないだろう。ただ、とくに若い人たちが理解しづらいのは、なぜナチスがあれほどの強大な力を持つことができたのか、ということではないだろうか。

第1次世界大戦（1914〜18）は、ドイツが世界と戦った戦争といってもいい。だが、惨憺《さんたん》たる敗戦に終わり、ドイツは経済的にも滅亡の危機に瀕《ひん》した。そのドイツを見事に立て直したのが、アドルフ・ヒトラーであった。

これを純経済的に評価するなら、今でも世界史の奇跡と呼んでいい業績であり、だからこそドイツ国民はヒトラーを熱狂的に支持した。しかし、ヒトラーはのちのホロコーストにつながるユダヤ人差別の姿勢を、その当時から隠していたわけではない。むしろ、堂々と公言していた。だから、国内にも国外にもヒトラー批判派、ナチス非容認論者がいたのだ。

また、ヒトラー自身もナチス党が政権を奪うまでは、オリンピック開催には反対の姿勢を示していた。だが、政権を取り自信を持ったヒトラーは、逆にオリンピックをナチス・ドイツの宣伝に利用しようと思い立ったのである。

聖火リレー、そして実験的なものではあったが世界初のテレビ中継が、このベルリン・オリンピックで行われた。さらに、天才女性監督レニ・リーフェンシュタールによる記録映画『オリンピア』（「民族の祭典」「美の祭典」）の製作等も準備された。

これは結果的にベルリン・オリンピックの大成功を助けることになるのだが、ナチス・

ドイツはその間、着々とホロコーストへの道を歩んでいた。

もっとも、実はベルリン五輪までは、ナチスはその後に発揮する極端な暴力性を鎧《よろい》の下に隠した、比較的おとなしい存在だった。

ユダヤ人には、嫌がらせをして国外追放政策こそとったものの、強制収容所での虐待や殺害はのちのことである。現在の中国が、ウイグル族をはじめとする少数民族に「反政府分子」というレッテルを貼り、その自由を奪い、強制収容で痛めつけているのに比べれば、可愛いものだったといえるだろう。

ユダヤ人への嫌がらせが一気に暴力化した「水晶の夜」（Kristallnacht＝クリスタル・ナハト）と呼ばれた衝撃的な事件は、ベルリン・オリンピックの2年後に起きた。対外的脅威も、国内の非法な弾圧も、１９３６年当時のナチス・ドイツは、現在の中国よりもはるかに〝控えめ〟なものだったのだ。

とはいえ、ベルリン大会への参加をめぐって、とくにユダヤ系市民の多いアメリカでは、国内世論が大いに盛り上がったことは忘れてはならない。

すでにドイツでは、ユダヤ系競技者への差別や排除が横行していたので、ユダヤ系アメリカ人組織を中心として、「オリンピックの理念はナチス・ドイツでは実現できない」との主張がなされ、オリンピック・ボイコットの機運が醸成されていく。

まもなく、ベルリン大会への参加かボイコットかをめぐって、スポーツ界のみならず、議会、メディア、労働者組織をも巻き込んだ論争に発展。結局は大会前年の1935年に、アメリカ・アマチュア競技連盟における票決で参加が決定するのだが、両者の票の差はわずかだったのである。

1930年代の当時、アメリカ・オリンピック委員会長はアベリー・ブランデージであった。参加決定に当たっては、彼は次のように反対派を説得した。

「オリンピック運動の人権、宗教による差別を一切しないとの原則を首都であるベルリンで示すことは、ナチスの誇るアーリア民族以外の多数の選手が優勝するチャンスをつくることであり、これは逆に反ナチ勢力の運動の助けになるのだ」

（『オリンピックの政治学』池井優著、丸善）

実は彼は、反ユダヤ、親ナチスの人種差別主義者だった。だが、その姿勢が批判の対象になったのは、かなり後になってからのことだ。事実、第2次世界大戦後、彼は第5代ＩＯＣ会長となり、長く国際オリンピックを牛耳《ぎゅうじ》る存在となったのである。

「愚か者」は、いつの時代にもいる。オリンピックを平和、そして差別撲滅の「特効薬」だという考え方、それがどんなしっぺ返しを受けたか。あえて話す必要はないかもしれない。だが、そういう考えに頭を毒されている人に、もう少しこの歴史的教訓で知っておいてもらいたいことがある。

なぜチャップリンの『独裁者』は、アメリカで散々批判されたのか？

まずヒトラーは、初めは決して自信満々ではなかったということだ。その様子を次に見てみよう。

レニが驚いたのは、オリンピック大会の映画制作についてさんざん迷ったあげく引き受けたことを話すと、ヒトラーから意外な言葉が返ってきたことだった。（中略）「われわれはメダルを獲得するチャンスがない。アメリカ人が勝利のほとんどをかっさらい、黒人が彼らのスターとなるでしょう。これを見物するのはあまりいい気がしない。それからナチズムに批判的な外国人も大勢来て不愉快の種になるかもしれません」

しかし開会式の日にスタジアムに姿を現わしたヒトラーは、「総統がご覧になると選手の励みになる」という側近の言葉に動かされたのと、目の前でドイツ選手が大活躍するのを見て、毎日のように競技場に姿を現わすようになった。（引用前掲書）

実はこのベルリン大会で、ドイツは史上初めて金メダル獲得数でも、すべてのメダル獲得数でもアメリカを抜いて第1位となったのである。

ドイツがアメリカに勝ったのだ。それも圧勝であった（金メダル獲得数＝ドイツ33：アメリカ24）。

これでヒトラーは自信をつけた。世界征服の野望に火がついたのである。

さらに始末の悪いことが、もうひとつあった。

『アドルフ・ヒトラー』の著者ジョン・トーランドはいう。「(ドイツは圧勝したが)それ以上に重要なのは多くの外国人が開催国の歓待に気分を良くし、ヒトラー・ドイツでの見聞に感銘を受けて帰国したこと」であったと。(引用前掲書)

つまり、多くの国々の人が「ドイツもなかなかいい国じゃないか」とダマされてしまったということだ。もう一度言うが、すでに「ホロコーストへの道」は始まっていたし、それの反対勢力も存在していた。

だが、「オリンピック」という「麻薬」によって、それらはことごとく封殺されてしまったのである。この「麻薬」に幻惑された国もあった。ほかでもない日本だ。ベルリン・オリンピック終了のわずか3カ月後、日本とドイツは「防共協定」を締結。これがのちに、イタリアを加えての「三国同盟」に発展する。

歴史の教訓としてベルリン・オリンピックは、次のように要約できるだろう。

「オリンピックが平和の祭典として有効なのは、その開催国が民主的・人道的国家である場合に限る。非民主的・非人道的国家に開催させれば完全に逆効果となって、かえって戦争の引き金になりかねない」と。

いや実際のところ、「なりかねない」どころではない。このベルリン・オリンピックの大成功で、ヒトラーは自信をつけたのみならず、ドイツ国民の支持もさらに強まった。そこで、3年後の1939年9月にドイツ軍はポーランドへ侵攻を開始した。第2次世界大戦が始まったのである。もちろん、その陰でヒトラーのもうひとつの目標、「ユダヤ民族皆殺し作戦」も着々と進められていた。

もしアメリカが、ブランデージの説得に応じずに参加をボイコットしていたら、どうなっただろうか？

それでも戦争は始まったかもしれないが、ベルリン・オリンピックの大成功がなければ、人類の被害はもっと減っていただろう。これは必ずしも空想ではない。

マスコミ人や政治家など、常々「民主主義」の重要性についてご高説をおっしゃる方々がいる。ならば、このヒトラーを徹底的に批判したチャールズ・チャップリンの映画『独裁者』をご存じだろう。

では、制作年次がナチス・ドイツのポーランド侵攻より1年後の1940年であり、ヒトラーという独裁者の危険性を正しく「予言」していたにもかかわらず、「自由の国」アメリカでこの映画が散々批判されたことは、ご存じだろうか？

その背景には、やはりこのベルリン・オリンピック効果があった。ダマされた人々が「そこまで批判することないじゃないか」と、ヒトラーを弁護したからなのである。

ちなみに、ナチスは聖火リレーのコースをたどるようにしてヨーロッパ各国を侵略したが、聖火リレーそのものが、その予備調査のカムフラージュだったという説もある。

真相はわからないが、火のないところに煙は立たない。いずれにせよ、こうしたことが往々にして行われるのが、「平和の祭典」の汚れた実態だったのである。

2022年北京大会ボイコットへの世界的な流れは止まらない

大虐殺事件と五輪開催をめぐるアメリカ人政治家の生の声

実は、前回2008年の北京オリンピック開催に対しても、さまざまな反対の声が上がっていた。そうした意見を直接聞くべく、大会に先立ち私はアメリカに飛び、関係者、有力者にインタビューを行った。まずは、トム・ラントス下院議員（外交委員会委員長、民主党、当時）の意見を紹介しよう。

――中国が北京オリンピックを開催することをどう考えているか。

ラントス　2000年のオリンピックでは、人権侵害などを理由に北京で開催されることを阻止することに成功した。その結果、オリンピックはシドニーで開催された。しかし、2008年については残念ながら阻止できなかったので、これを機に人権の改善や外交政策の転換を訴えたい。

外交政策について、まずチベットに関する公聴会を開き、オリンピック前にダライ・ラマを北京に招待し、対話して、平和で建設的な関係を築くように求めた。今後も北京とワシントンで、この点は訴え続けていく。

――他にどんな問題があるか。

ラントス　中国は世界中で資源・物資の入手を優先し、人権や政治問題を無視しているという問題がある。たとえばダルフール。スーダン政府がアラブのミリシア（武装民兵）を使い、20万人を殺害し、その何倍もの難民を生み出したことについて中国は責任を取るべきだ。

このインタビューは2007年当時のものである。ダルフールの虐殺については、その後の調査で死者30万人、難民の数は約270万人にまで上ったことが判明しているということを付記しておきたい。

さらにもうひとり、トム・タンクレド下院議員(共和党、当時)にも話を聞いた。タンクレド議員は、2007年に米下院で従軍慰安婦問題に関する「日本非難決議」が可決された際、たったふたり、ロン・ポール議員(共和党、当時)と並んで反対した人物でもある。

――北京オリンピックのボイコットには私も賛成だが、ボイコットを呼びかけている理由は。

タンクレド　理由はたくさんあるが、最大の理由は人権問題だ。人権侵害や強制中絶、奴隷のような工員への扱いなどだ。第二は台湾を認めないこと。軍事力で台湾を脅し、軍事力行使をしかねない。こういう問題を軽視してはいけない。危険視して、対策を講じるべきだ。オリンピックは中国にとって重要なプロパガンダの道具だから、それを与えないように拒否すべきだ。

――1936年のベルリン・オリンピックとの類似性を指摘されているそうだが。

タンクレド　ベルリン・オリンピックがナチスによって、ドイツが近代国家であり、国際社会の一員であるというプロパガンダに利用されたように、中国は問題がないふりをしている。

――オリンピックのボイコット運動が人権問題として、もっと盛り上がらないのはなぜか。

タンクレド　ベルリン・オリンピックをボイコットしなかったのと同じ理由だ。皆、恐れているのだ。中国は政治的にも経済的にも大国だ。カネにものを言わせている。北京オリンピックをボイコットすべき理由として、もうひとつダルフール紛争がある。中国はスーダンの石油パイプラインで儲けている。石油代でスーダン政府を資金援助しており、虐殺の手段を与えているが、誰も抗議しない。

北京大会とベルリン大会に共通する、ふたつの大きな特徴

いかがだろうか。

ラントス議員も話していたように、2000年大会にも中国は立候補していたが2票差で敗れていた。1989年に起きた天安門事件を憂慮したアメリカは、1993年時

点で下院外交委員会の口頭決議を通じて、「北京あるいは中国のいかなる地域においても、２０００年オリンピックを開催することに反対する」と表明していたのだ。

両者の発言からもわかるように、人権問題という視点から中国のオリンピック開催に反対する動きが、すでに90年代からあったのである。

一方で、中国でのオリンピックをボイコットすべきと主張する当時の欧米人にとって、最大の理由がインタビューにも登場した「ダルフール」問題だった。

かいつまんで説明すると、アフリカ大陸の北東部のスーダンのダルフール地方で、２００３年に非アラブ系黒人を中心に政府への反乱が起こった。すると、スーダン政府は反乱鎮圧のため「ジャンジャウィード」というアラブ系遊牧民の武装民兵を支援し、ダルフール住民の弾圧を決行。その結果、先述したように、最新の調査によると30万人が虐殺され、２７０万人の難民が発生したのだ。

実は、当時の「大虐殺政権」最大の支援者が中国だった。

理由は、ひとえにスーダンの石油欲しさである。中国は、スーダン産石油の7割を買い取り、さらに無利子融資などを行ったのみならず、武器を大量に売りつけた。これが、結果的にダルフール地方の住民30万人の虐殺という、ホロコーストにも匹敵する一大悲劇を招いたのである。

まだ、一帯一路構想も、ＡＩＩＢ（アジアインフラ投資銀行）もない当時から、すでに中国はカネの力で親中腐敗政権を育て、他国での人権侵害に加担していたのだ。

こうした惨状を知った人たちが次々と立ち上がった。なかでも急先鋒となったのが、映画『ローズマリーの赤ちゃん』などで知られる女優のミア・ファローである。彼女は、ダルフールの悲劇に加担する中国でのオリンピックを「ジェノサイド・オリンピック」と呼び、各方面に積極的に働きかけた。

あるいは私もインタビューをした民間組織「セーブ・ダルフール」をはじめ、「北京オリンピックのボイコットを視野に入れて、ダルフール大虐殺にストップをかけるべきだ」とする運動も巻き起こった。

ここまで見てきたように、オリンピック開催を控えた中国とナチス・ドイツには、大きくふたつの特徴的な共通点がある。

●主催国の政権がナチス・ドイツ、そして中国共産党という一党独裁国家であること
●ナチス・ドイツに、アーリア民族優越思想に基づくユダヤ人排斥政策があったように、中国には中華民族優越思想によるチベット族、ウイグル族などの異民族弾圧思想があること

だが周知のとおり2008年、北京オリンピックは開催されてしまった。

その結果、中国共産党の圧政、議員へのインタビューでも言及された台湾への圧力、そしてチベット族やウイグル族へのジェノサイド等々、オリンピックを開いたところで、それらは改善されるどころか何も変わらなかった、いや、かえって状況はひどくなる一方になってしまったのである。

ヨーロッパへと飛び火したトランプ政権の置き土産

話を2021年に戻そう。

前出のヘイリー元国連大使は2022年北京冬季オリンピックのボイコット理由を、次のように明確に挙げている。

●長きにわたるチベット蹂躙
●香港での自由圧殺
●台湾へのほぼ連日の脅迫
●武漢ウイルスの情報隠し
●そして何よりも新疆における暴虐

そのうえで「バイデン大統領は、同盟国にもボイコットの同調を促さねばならない」と、スピーチした。

冬季オリンピックに出る選手団は、人権問題に敏感な先進自由主義国出身者が多い。陸上などでアフリカ勢が活躍する夏の大会と違って、冬季五輪にヨーロッパ、北欧スカンジナビア諸国、北米、韓国、そして日本などが出場しなければ、「方翼五輪」を飛び越えて、ただの「中国・ロシア選手権大会」になってしまうだろう。

だからこそ、オリンピックのボイコットが実現すれば、その効果は絶大なものとなるのだ。

イギリスでは、野党・自由民主党のエド・デイビー党首が「ウイグル人に対する民族浄化を止めない限り、選手団を送ってはならない」と主張している。この発言を受けたジョンソン首相は、「ボイコットは、この国で好まれるものではない」と釘を刺しつつも、次のようなステートメントを出してフォローすることも忘れてはいない。

「サー・エドは正しい。政府としては、イギリス企業が人権蹂躙に関与したり、利益を得たりしないように政策を遂行してきた」

カナダの下院議会でも、最大野党の保守党が、中国でウイグル人へのジェノサイドが行われていることへの非難、そして冬季オリンピックの開催地変更をIOCに働きかけるべきとする政府への要求を盛り込んだ動議を提出。結果、圧倒的多数で非難決議が採択された。

その後、アメリカ国務省のネッド・プライス報道官が、4月6日にボイコットについて発言したことで、事態は急展開していく。

北京冬季オリンピック・ボイコット論がアメリカ国内でくすぶり続けるなか、プライス報道官はオリンピックの共同ボイコットに言及したのだ。

新疆ウイグル自治区内のウイグル族迫害をめぐって、すでにバイデン政権は、これを「ジェノサイド」と認定していた。と同時に、議会からはアメリカのオリンピック参加に異論が噴出していたのだ。

事実、アメリカ民間団体の世論調査によると「中国との経済関係が傷ついても、アメリカは中国国内の人権の向上に努《つと》めるべきだ」との回答が7割に達し、「スポンサー企業がまず行動を起こすべきだ」とする声が、大半を占めていたのである。

「コカ・コーラなどの主要スポンサーこそが、中国に明確なメッセージを送るべきではないか？」

「しれっとスポンサーのままでいることは、それこそジェノサイドに加担することではないのか？」

こういった消費者の声が、アメリカでは無視できない力を持っていることなど、言うまでもない。

そして、先のアメリカの声明はヨーロッパへと飛び火し、欧州議会は「中国での人権問題は、うやむやのままにしてはいけない」と、アメリカに呼応してボイコットを呼びかける文書を公開したのである。

もはや高みの見物など許されない同盟国・日本がとるべき態度

ところが、アメリカの同盟国・日本は、例によって困惑の態《てい》で、国としての態度を明確にしていない。

ボイコットが具体的にスケジュールに乗るとなると、北京よりも前に開かれる予定の2021年夏の東京大会に多大な影響が及ぶのは必至だからだろう。「日米間でボイコットに関するやりとりをしている事実はない」とした加藤勝信官房長官の会見が、図らずもそれを証明している。

2020年11月に中国の王毅《おうき》外相が来日した際、日中両政府は東京・北京の両オリンピックの成功に向けた協力を確認していることもあって、日本は、板挟みのまま動きがとれずにいるのだ。

幸か不幸か、2021年4月16日に開かれた日米首脳会談では、オリンピックのボイコットは話題とならなかったようだが、今後、アメリカから強い同調を求められれば、日本としても態度を鮮明にするしかない。

対岸の火事として高みの見物を決め込むなど、許されることではないのだ。

世界は、東京オリンピックの次に控える北京での冬季大会への対応を、すでに対中政策のヤマ場と見ていることは明らかなのである。

そもそも北京冬季オリンピックは、消去法の選択だった。オスロやストックホルムなど、伝統的に冬季競技が盛んなヨーロッパの諸都市が住民の反対で候補から脱落し、二者択一で北京がアルマトイ（カザフスタン）をわずか4票差で破った経緯がある。

このとき、IOCのカラード事務総長（当時）は、傍目《はため》にも非常に苦しい言い訳をしていた。

「中国が人権問題を抱えているのは承知している。けれども、問題に背を向けず、扉を開く決断をした」

2008年の北京五輪の際、中国のチベット弾圧への抗議で世界をめぐる聖火リレーは大混乱を来《きた》した。ただし、リレー自体をボイコットした国はなく、曲がりなりにも聖火が北京に届けられたことを踏まえて、次の2022年北京大会もなんとか乗り切れるはずだとIOCは考えたのだろう。

IOCが北京冬季オリンピックを承認した背景には、世界第2位の経済大国にのし上がった中国に、世界のスポーツ界がこぞって依存しているという危険な現状もある。

今やIOCのスポンサーには、中国企業のアリババグループや蒙牛《もうぎゅう》乳業らが名を連ね、アジア大会やユース五輪大会をはじめとする開催都市に巨額の負担金を強《し》いる国際大会は、中国マネー頼みの度合いを年々強めているという。カネと人権を、国際社会は天秤にかけていると言えるだろう。

アメリカのボイコット要請に従って、同盟国が足並みをそろえるかどうかは不明だが、各国首脳が開会式を欠席するという「外交ボイコット」の選択肢もありえる。

中国が少数民族迫害、人権弾圧を続けている限り、「断固、日本もボイコットすべし」とする意見は、これから国際社会でますます高まってくるはずだ。

モスクワ五輪以外にもあった
オリンピックボイコットの歴史

ここで覚えている方もいるであろう、1980年に起きたモスクワ五輪ボイコット騒動を思い起こしてほしい。

きっかけは前年12月の、ソ連軍によるアフガニスタン侵攻だった。当初、米民主党のジミー・カーター大統領は、ソ連が軍を退《ひ》くならオリンピックには参加する意向だった。そこで譲歩策として、開催の1年延期をブレジネフ書記長に提案したものの無視され、結局は日本を含む約50カ国がボイコットに踏み切ることとなったのである。

ちなみに、そのなかには中国も入っていた。「主催国の行為が国際ルールの一線を越えた場合には、オリンピックのボイコットは正当化される」ということを、実は中国自身もこのとき、身をもって示していたのだ。

アメリカ議会はカーター大統領のボイコット提案を超党派で支持し、また、1975

年にノーベル平和賞を受賞した物理学者、アンドレイ・サハロフ博士をはじめ、ソ連内の反体制派活動家や知識人もボイコットに同調した。サハロフは、「国際社会のボイコットは虐《しいた》げられたソ連国民を勇気づけるメッセージになる」と考えていたという。

結局、モスクワ・オリンピックは、ソ連と東ドイツの2カ国がすべてのメダルをほぼ独占するという、非常にみっともない超ローカル大会になってしまった。このことからすると、北京冬季オリンピックのボイコットに日米欧ら先進自由主義国が踏み切れば、「五輪」とは名ばかりの、ただの親中国家同士の親善スポーツ大会に落ちぶれることは明らかだろう。

ところで五輪ボイコット騒動は、モスクワ大会が初めてではない。たとえば1956年のメルボルン・オリンピックでは、第2次中東戦争（スエズ動乱）に抗議しエジプト、レバノン、イラクがボイコットしている。さらに同年のソ連によるハンガリー侵攻に抗議しスペイン、オランダ、スイスも参加を取りやめた。そして、台湾のオリンピック参加に抗議する形で、中国もボイコットしているのだ。

1976年のモントリオール大会では、アパルトヘイト政策を実施している南アフリカにラグビーチームが遠征したニュージーランドを、IOCが追放しなかったとして、アフリカの22カ国が抗議のうえ、ボイコット。さらに、またしても中国が、台湾のオリンピック参加に抗議する形でボイコットしている。

このように、「スポーツに政治を持ち込まない」などというきれい事だけではすまされない、「国際社会の軋轢《あつれき》の集約点としてのオリンピック」というのが、平和の祭典の現実の姿なのだ。

2008年の北京オリンピック開催が国際社会で非難されたのは、少数民族の人権無視だけが理由ではない。このオリンピックは、国威発揚の一大イベントとして、中国が無理に無理を重ねて準備した大会だった。そのなかで、世界のトップアスリートたちが不安視したのが大気汚染だ。

実際、1996年のアトランタ、2000年のシドニーと2大会連続、陸上1万メートルで金メダルを獲得し、さらに2007年に当時のマラソン世界新記録を樹立したことで同種目の金メダル最有力候補と目されていたエチオピアのハイレ・ゲブレセラシエは、持病のぜんそくの悪化を懸念し、出場を辞退している（その後、マラソンから1万メートルに切り替えて出場したものの、6位に終わった）。

中国政府は、中央政府に反発する少数民族のテロに備えるという口実の下、数十億ドル相当の予算を投じて鎮圧のための特殊部隊を編成、10万人の警備員を投じた。メイン会場だけで１０００台の監視カメラが設置され、北京全体ではその数30万台といわれた。また施設建設のために、北京市民の１５０万人が立ち退《の》きを強いられ、先祖代々暮らしてきた住宅が次々に取り壊された。こうして、メイン会場を含む約12平方キロメートルの広大な〝空き地〟が作られたのだ。強制退去に抗議した活動家たちは、１年間の再教育の刑に処されたという。

もちろん、現在は当時とは比べるべくもなく、北京市に設置されている監視カメラの台数は１１５万台に上る。設置数約２・５万台とされるニューヨークの約50倍だ。さらに、後述するウイグル族の弾圧や香港、台湾への有形無形の圧力など、明らかに前回北京オリンピック以降、中国共産党の恐怖政治は、ますます悪い方向へと進んでいる。

２０２２年2月4日に開幕予定の北京冬季オリンピックまで、あと約半年。

時間がないように思えるかもしれないが、実は前述のモスクワ・オリンピックのボイコットが日本オリンピック委員会（ＪＯＣ）の臨時総会で決定されたのは、１９８０年5月24日のこと。モスクワ大会は7月19日に開幕しているので、残り２カ月を切ったギリギリの決断だった。つまり、北京大会をボイコットするまで、まだまだ時間はあるということだ。

それまでに、先進自由主義国と連携しながら、日本がしっかりと考えをまとめ、正しい決断を下すことが望まれていることは言うまでもない。

第2章

中国で進む少数民族に対する「ジェノサイド」の実態

民族弾圧の実態を満点下にさらしたチベット人の勇気と悲哀

「大一統」と社会主義から生まれた、少数民族への絶え間ない迫害

中国は世界で4番目の面積を持ち、公認された56の民族から成る多民族国家である。漢民族以外はすべて「少数民族」と称され、その数は総人口の約8％、1億1000万人以上に上る。つまり、日本の人口とほぼ同じ数だけ、漢民族以外の人たちがいるということだ。

このように、数の上ではとうてい「少数」とは言えない、主な少数民族の内訳を見てみよう。

●チワン（壮）族　1692万人
●ホイ（回）族　1058万人
●満族　1038万人
●ウイグル族　1006万人
●ミャオ（苗）族　942万人
●イ族　871万人
●トウチャ（土家）族　835万人
●チベット族　628万人
●モンゴル族　598万人

このように、500万人を超える民族だけでも9つもある。

彼らは建国当時から分離権、完全自治権を法的に否定され、ある地域を区切っての「民族の区域自治」という形で中華人民共和国に包摂《ほうせつ》された。新疆、チベット、内蒙古《うちもうこ》、広《こう》西《せい》、寧夏《ねいか》の5つの自治区のほか、30の自治州、117の自治県に、全少数民族の実に75%が住んでいる。

「区域自治」と呼ばれるこの制度下で何十年にもわたり進んでいるのは、「自治」とうたいながら、実際区域内に居住する少数民族は、年々マイノリティに転落しているという事態だ。その理由は、共産党政府による漢民族の大量移住である。それによって、「〇〇族自治区」という名称とは裏腹に、そこに住む少数民族は文字どおり「少数派」になりつつあるのだ。

建国以来の急進的な政治変動を受けて民族政策はたえず揺れ動き、1958年には新疆で反漢民族運動が発生。翌59年には「チベット動乱」がピークに達した。いずれもイデオロギーと経済の統合、漢民族の移住などの「漢化政策」への反発からだった。ちなみに中国では「反乱」のことを、「動乱」という用語に統一している。

漢民族との文化的な一体性に欠け、かつて自ら国家を持ったことのある少数民族（内モンゴル、チベット、ウイグルなど）は、独立要求に至らないまでも、高度な自治権、分離権を求めて建国以来しばしば紛争を起こしてきた。

1950年代末に発生した先述の「チベット動乱」（このときチベット自治区の中心地である古都ラサに、建国以来初の戒厳令が布《し》かれた）、1993年に新疆イリ地区で起きた「民族分離主義」騒動などが代表的なものである。

内モンゴルでは、1966年から約10年続いた「文化大革命」の時代に2万8000人ものモンゴル人が殺害された、という最近の研究もある（『紅衛兵とモンゴル人大虐殺』楊海英著、筑摩選書）。


民族的に多様な中国で中央集権的統合に固執するのは、「大一統《だいいっとう》」といわれる中国の伝統的な考えによるものである。この考えは、漢民族こそ正統であり、全土がひとつに統合されてこそ中国は力を持つとする、史上初めて中国の統一を成し遂げた秦の始皇帝以来の揺るぎない「信仰」のようなものだ。

そうした考え方に加えて、政治、経済ともに一元的システムを追求する社会主義体制が、中央集権の強化につながった。旧ソ連やユーゴスラビアのように、社会主義体制下でも連邦制をとるケースもあったが、中国がそうしなかったのは、統一にこだわる歴史的・思想的背景があったからなのだ。

チベットもウイグルもモンゴルも「異民族ではない」という独善的な中華思想

多民族国家・中国の〝アキレス腱〟が、こうした国内の民族問題にあることは、世界の誰もが知っていることだ。今や中国が最大の貿易相手国であり、国家経済が丸ごと中国依存症に陥《おちい》っている日本にとっても、このアキレス腱に関心を寄せざるをえないのは当然のことである。

経済的にも軍事的にも巨大帝国となった中国が、内部に抱える最大の矛盾が、漢民族と異民族との対立だ。そのため中国政府は、国内各地の民族紛争を、ひとつであるべき中華民族を分裂させる反乱分子の政治的策動として、厳しく取り締まっている。

その根拠として国際社会にアピールしているのが、「民族紛争は国内問題（中国では国内矛盾と表現する）であり、ウイグル民族やチベット民族という『異民族』の自立運動とはとらえていない」という、中国共産党の公式見解である。

しかしながら、「異民族ではない」と一方的に規定された当の諸民族にとっては、当然のことながら「そのとおりです」と、党の勝手な主張をそのまますんなりと受け入れられるものでないのは言うまでもない。

現在の中国では「異民族」という言葉は存在せず、「少数民族」という用語に統一されている。この定義に照らせば、チベット民族、ウイグル民族らは異民族ではなく、漢民族を中核とする「中華民族」を構成する少数派のひとつ、ということになる。

あくまでも「同胞」、漢民族とは仲良し関係という扱いだ。したがって、中国からの独立を望むのは、国家の統一、民族の統一を破壊する分裂主義的行為と、見なされるのである。

従来からの伝統的中華思想によれば、漢民族はチベット民族、ウイグル民族などを、自分たちとは異質の辺境の地に住む民族として見なしてきたはずだが、いつのまにか「中華民族」を構成する少数民族の一集団に落とし込んでしまった。少数民族の側からすると、「勝手にそうさせられた」となるのも当然のことだ。

中国の全56民族を代表した子どもたちを開会式に登場させるなど（実際はいずれも漢民

族の子どもという説もあり)、「民族の祭典」として国際社会に成功を誇示した2008年の北京オリンピックの翌年のこと。インドに亡命中のダライ・ラマ14世は声明を出して、改めてチベット民族の苦悩を世界に訴えた(「チベット民族蜂起五十周年記念日における声明」)。

昨年3月以来、チベット全土で平和的な抗議行動が湧き起こりました。(中略)我々は、昨年の危機において命を落とした同胞、拷問を受け、計り知れない苦難に苦しんだ同胞、さらには、チベット問題が始まって以来、苦しみ、命を落としたすべての同胞に敬意を表し、祈りを捧げます。

この声明は、世界が広くチベット問題を認識するきっかけとなった。
前回の北京オリンピックからさかのぼること50年の1959年、前述のようにラサで民族蜂起が起こり、鎮圧を受けてダライ・ラマはインドに亡命。以後も長きにわたり、チベット民族は抑圧の下にあったということを、ダライ・ラマは北京オリンピックの〝成功〟で浮かれている世界中の人々の目を覚まそうと、必死の気持ちで訴えたのである。

同じ仏教徒として意地を見せた善光寺に対する嫌がらせの数々

中国では8が幸福の数字とされている。

北京オリンピックの開会式は、2008年8月8日午後8時8分に開始された。『論語』（学而篇《がくじへん》）の有名な一節「朋《とも》あり、遠方より来《きた》る。また楽しからずや」を、スタジアムを埋めた大群衆が北京語で唱和しながら、カウントダウンが進む。大会数を表す29歩の足跡をかたどった巨大な花火が北京の空に打ち上がり、民族衣装をまとった子どもたちが中国国旗をうちふるう。やがて国歌斉唱となって、3時間に及ぶセレモニーがようやく始まる。

オリンピック開会式は、「中国4000年の歴史」を壮大な絵巻物風に紹介し、花火をCGで表現するなど、目を見張る大スペクタクルだった反面、そこには国内の多くの民族が置かれた悲惨な状況は映し出されていなかった。

この演出が国際社会に何の問題提起もなされなかったものであった一方、2016年のリオデジャネイロ大会開会式で、熱帯雨林アマゾンを抱えるブラジルが地球温暖化に警鐘を鳴らす演出をしたのは、まさに好対照だったといえよう。

オリンピックの開会式には、その国の歴史や社会文化、そしてエンターテインメント性を、高いレベルで融合させる技術と知性が求められる。ただのお国自慢、自国の自画自賛ですむものではないのだ。

北京でオリンピックの準備が進むなか、2008年3月10日に、ラサでチベット仏教（ラマ教）僧侶の一斉抗議行動が発生すると、共産党は強権を発動して武力弾圧に踏み切った。北京オリンピックをなんとしてでも成功させて国威発揚に努めたいという、焦《あせ》りゆえの暴力行為だった。

この弾圧は世界中の非難を招き、世界各地の町々で聖火リレーの通過時に抗議する人々が沿道に群がる事態となる。結果的に、世界中を走り抜ける聖火リレーが「フリー・チベット」を世界に向けて知らしめる、「国際行事」となってしまったのだ。

このときの聖火リレーの光景は、今までのオリンピックにはない異様なもので、とくにイギリス、フランス、アメリカの各地を回る聖火に対して、抗議の群衆が沿道に押し寄せ、中国の人権問題に「ノー」の声を上げた。

日本も例外ではなく、２００８年4月26日付読売新聞では、次のように伝えている。

沿道を埋める中国旗とチベット旗。白いユニホーム姿の警察官らの中に埋もれた走者が、善光寺参道につながる目抜き通りを通ると、歓声や怒号が地鳴りのように包んだ。

10年前、平和の祭典・長野五輪の聖火が走り抜けた街は、この日、人権団体や右翼団体などが入り乱れ、政治的主張の場と化した。


このように、日本の聖火リレーの舞台に選ばれたのは長野県で、出発地点は古刹《こさつ》・善光寺だったが、実はリレーのスタート直前に、善光寺は辞退を申し出ていた。

その理由を次のように語った。

「同じ仏教徒として、チベットの人々が受けている苦しみを思うがあまり……」

この辞退の発表によって、善光寺には日本全国から激励と非難の電話がひっきりなしにかかってくるようになり、国宝の本堂に何者かが白いスプレーで落書きをするという非常事態に陥る。

先の新聞報道にもあったように、聖火リレーの出発日、長野市内には、中国側とチベット側双方の抗議者が数多く集まり、中国の国旗「五星紅旗」と、チベットの旗「雪山獅子旗」が入り乱れて振られるという騒ぎとなった。その様子がニュース映像として日本全国に中継されたのを、覚えている方もいることだろう。

第一走者の故星野仙一氏から、最終の第80走者であるアテネ・オリンピック女子マラソン金メダリストの野口みずき氏まで、走者は皆、歓声と怒号が飛び交うなかでの走りを余儀なくされたのだ。

いまだになされていない、中央政府とチベットとの歴史的和解

2008年3月10日のラサ蜂起の際に、ダライ・ラマ14世が発表した声明を記しておこう。

昨今のチベットでは、中国政府の見通しの甘さゆえに生まれる数知れない行為によって、自然環境が著しく破壊されています。

中国の流入政策の結果、チベットに移住した非チベット人の数は何倍にも増加し、チベット人は、自国にいるにもかかわらず、微々たる少数派へと減じています。

さらには、チベット語、チベットの文化、伝統など、チベットの人々の本質やアイデンティティが徐々に消滅しています。

チベットでは、弾圧が続いています。数えきれないほどの、想像を絶する人権侵害、宗教の自由の否定、宗教的問題の政治問題化が増え続けています。これらはすべて、チベット人を人間として尊重する姿勢が中国政府に欠如していることに、起因しています。

この声明を受けて、14日にデモは先鋭化し、漢族の中国人が経営する店を破壊するに及んで、犠牲者をともなう中国政府の武力弾圧が開始されたのである。

このときの死者の数については、中国当局とダライ・ラマ率いるチベット亡命政府の見解に大きな相違があってはっきりしない。だが、中国側が発表した20人程度ということはありえないだろう。

騒乱のなかで、約30人の僧侶がラサのジョカン（大昭）寺で「チベットには自由がない」と訴えた映像は世界中に流され、チベット問題をさらに広く知らしめる一助となった。

やがて、1959年の最初の蜂起以後、チベットではたびたび反乱が発生していたことが明らかになり、世界の関心を呼ぶようになっていく。

チベットでの反乱についての中国当局の公式見解は、「ダライ・ラマに率いられた不法集団が、組織的・策謀的に扇動し、内外のチベット独立を模索する分裂勢力が互いに結託して引き起こしたもので、暴力犯罪である」というものだ。無論、この見解を鵜呑《うの》みにする先進国はありえないだろう。

経済的格差のみならず、各種ネットワークへのアクセス権の制限、そして絶え間なき監視など、さまざまな点で、チベット人は漢民族から差別的扱いを受けていることが騒動の遠因にあると、国際社会は正確に読み取っている。

さらなる遠因として、1959年のチベット動乱をめぐって、中央政府とチベットとのあいだの歴史的和解が、いまだになされていないということが挙げられよう。

1958年から62年にかけて、チベット及び青海、四川、雲南各省のチベット人居住地区で行われた殺戮において、中央政府は計21万人ものチベット民族の命を奪ったと言われている。

当時の弾圧は、民族・宗教上の問題ゆえだったが、この悲劇の正しい分析は、今に至るまで行われていない。

まして現在の情勢は、もっと複雑だ。

市場化、グローバル化のすさまじい波が、少数民族の住む辺境までを襲い、彼らが故郷から押し出される形で、さらなる周縁に移住させられているという、憂慮すべき現状が進行している。

ダライ・ラマが屈辱を感じた「和平解放」という名の「力による支配」

チベット問題の根源は複雑だ。

中国建国から1年後の1950年10月、人民解放軍はチベットに武力侵攻。その翌年、3000人の人民解放軍がラサに入り、チベットは中国に「統一」された。中国はこれを「和平解放」と呼び、それに対して今もチベットは「武力侵略」としている。

軍事的圧力を受けたチベット政府は、中国とのあいだで「チベットの和平解放に関する協議」(17カ条協定)を結ぶよう脅される。そこで、チベット政府は中国政府の見解を聞くため代表団を北京に送った。ところが、彼らはまるで囚人のように拘束され、ついには無理やり協定を結ばされてしまったのである。

内モンゴルや新疆と違ってチベットは、宗教的・政治的指導者であるダライ・ラマの統治による独自の政教一致で国を治める政治体制をとり、1912年の辛亥《しんがい》革命で成立した中華民国時代には、ほぼ独立国家に近い状態だった。

侵攻した中国の主張は次のようになる。

「チベット人民は、ダライ・ラマを頂点とする僧侶たちの封建的農奴制度の下で苦しんでいる。そこから人々を解放しなければならない」

だが、中国共産党の目的は、領土拡大に突き進んだ挙句の「力による支配」であったことは明らかだ。

17カ条協定を力ずくで結ばされたときの屈辱を、ダライ・ラマはのちに自伝でこう回想している。

これが最後通牒として渡された。わが代表団は侮辱され、罵《ののし》られ、その身に加えられる暴力によって脅迫された。

さらに、チベット国民に対して、より以上の軍事的行動を展開するぞと言って威嚇された。（『この悲劇の国、わがチベット』日高一輝訳、蒼洋社）

1959年3月10日、つまり2008年のラサ蜂起と同じ日に起きた「ラサ暴動」は、チベット族数万の群衆が、17カ条協定の破棄と漢民族のチベット追放を叫び、解放軍と衝突したことで火がついた。

暴動の発端は、ラサに帰還していたダライ・ラマ14世を「北京政府が誘拐しようとしている」という噂だった。ダライ・ラマを守るため、ラサのポタラ宮殿をチベット民衆が囲み、それを武力で排除しようとした解放軍との睨《にら》み合いの末、軍の発砲が始まる。

武力鎮圧を受けて、約8万人のチベット人が命を落としたとされ、10万人に上るチベット人がインド、ネパール、ブータンなどの周辺諸国に亡命していった。

混乱を収拾できなかったダライ・ラマ14世は身の危険を覚え、ラサを脱出して21日間かけてインド北部のダラムサラへ亡命。標高5000メートルを超える峠を、従者とともに馬と徒歩だけで越えての旅だった。そして、今日まで続くチベット亡命政府が生まれたのだ。

現在の共産党の歴史解釈では、モンゴル族による元朝も、満州族による清朝も、中国の王朝となる。

異民族王朝の支配ではなく、同じ「中華民族」の王朝支配ということだ。だが、この考えは、歴史的事実を無視した、都合のよすぎる勝手な解釈にすぎない。チベットが独立運動を起こすのは分裂主義者の策動によるものだと考える根拠は、この勝手な解釈から出ているといえるだろう。

共産党は、チベット、モンゴル、ウイグルなどの辺境民族を、漢族に対抗する自立した異民族とはとらえず、あくまで「中華民族」のなかに含まれる一少数民族として規定している。

だからこそ、ひ弱で文化的に遅れた少数民族は、偉大な多数民族である漢民族に助けられ、指導されることではじめて近代人として発展できる、という理屈である。

この場合、独立した存在として本来持っている、異民族の誇りや主体性などは無視されて当然、ということになる。

「オリンピックには反対です。チベット人がオリンピックを祝う理由はありません」

2008年の北京オリンピック開催直前に、中国以外の先進主要国で公開されたドキュメンタリー映画に、『ジグデル～恐怖を乗り越えて』(ドゥンドゥップ・ワンチェン監督)というものがある。

チベットの悲惨な現状を伝える生々しい映像は、日本でも話題を呼んだ。映画制作に至る計り知れない苦労とともに、公開後にワンチェン監督が中国政府から強制的に受けた弾圧の日々は、『パンと牢獄』(小川真利枝著、集英社クリエイティブ)に詳しく書かれている。

この映画と本は、チベット人の生の声を収録した貴重な記録だ。

2008年3月、監督が政治犯として逮捕されたことで、そのニュースが世界に伝わり、皮肉にも映画の上映回数が増えていった。彼の釈放を求める運動は盛り上がりを見せ、やがて、中国政府に対しての「フリー・チベット」という名の抗議運動の旗頭となっていく。

映画は、監督自身が自らのことを語るシーンから始まる。

「私は教育を受けたことがありません。学校へ行ったことがありません。それでも訴えたいことがあります」

そして、ひとりのラマ教僧侶が登場し、カメラに向かってこう話す。

「2008年の北京オリンピックは、すべての人にとっての平和と自由の祭典です。しかしチベット人には、平和も自由もありません。オリンピックには反対です。チベット人がオリンピックを祝う理由はありません。オリンピックは、独立も自由も手にしている中国人が祝うものです」

ラストシーンで監督は、観客に静かに語りかける。

「私がこの映画を作ったのは、富や名誉のためではありません。希望が持てず、助けを求められないチベット人との約束があったからです。私たちの声に耳を傾け、力になってください」

映画には、素顔をさらしたまま、モザイクなしでインタビューに応じる数多くのチベット人が出てくる。年齢も職業もさまざまで、チベット人の助けを求める叫びを幅広く拾い上げていることがわかる。映画に登場して正当な主張をすることが、どれほど危険なことかを想像すると、彼らの勇気に頭が下がる思いだ。

実は、たった1回だけ公安当局の目をかいくぐり、外国人記者だけを集めてなんと北京で、この映画の秘密上映会が開かれた。そのことを海外メディアも報じている。〈チベットの映画、珍しく北京で上映〉と題した2008年8月6日、ロイター通信の記事にはこうある。

北京五輪についてチベット人がどう思っているか、新しいドキュメンタリーが作られ、北京で秘密裏に上映された。映画『ジグデル～恐怖を乗り越えて』はホテルの一室でお披露目された。監督のドゥンドゥップは、映画の撮影後すぐに拘束されたがテープだけは国外に秘かに持ち出されていた。

こうして、チベットの現状を告発する映画が世界に知られ、スイスを経て西側諸国で上映されていき、日本でも全国30カ所以上で公開されることとなったのだ。

思考力と希望を奪う
恐るべき労働改造所の実態

拘束されてから2年後の2010年、監督は青海省にある労働改造所（ラオガイ）に入れられた。以下、前出『パンと牢獄』を参考に、その様子を記述していこう。

労働改造所とは、軽犯罪や反革命行為を行った者を、労働を通じて再教育する施設だ。旧ソ連の「ラーゲリ」（強制収容所）に倣《なら》ったもので、ただ犯罪者を入れておくだけの刑務所より苛酷な施設だとされる。

まず3カ月かけて新人教育を受け、〝指導〟という名目で暴力的制裁を受ける。たいていの人間は心がくじけ、思考が停止し、すべての希望をあきらめてしまう。

朝5時から改造所の規則を暗記するため、中国共産党がいかに素晴らしいかという教本を読まされ、それを暗記できているか、定期的なテストが課せられる。

学習のあとは改造所の掃除。7時からは軍事訓練。これが、休憩なしに夜の7時まで続き、その後も学習教育が強要されて11時に就寝。そして翌朝5時から、また同じことが繰り返される。

改造所での生活はすべて中国語で、チベット語は片言なりとも厳禁。私的な会話は一切許されない。布団のたたみ方に至るまで監視がつき、トイレも見張られながらしなければならない。こうして個が奪われ、命令にのみ従う人間に改造されていくわけだ。

新人教育が終了すると、労働教育が生活の中心となる。

労働教育の内容は、このような感じだ。

割り箸作り、じゅうたん作り、道路工事、草原の柵作り、ぬいぐるみの縫製、壁の修理……。

どれも単調きわまる作業で、しかも連日続く。さらに、反革命行為を行って思想犯と見なされた者には、労働教育の時間を割《さ》いて、思想教育が課せられる。

手を抜いたり反抗的態度をとったりすると、窓のない狭い獄舎に監禁され、暴力を受けたうえで「思想報告書」を書かされる。その文面が中国人管理者に快く受け入れられない限り、そこから出してはもらえない。ワンチェン監督は84日間にわたって閉じ込められた。

その間、食事は1日2食。2食とも少量の水と蒸しパンひとつ、それにおかず1品だけ。自殺防止のため、壁はツルツルで天井はことさら高く作られ、24時間監視カメラが作動している。監禁が解けた日、監督は教官にこう言われたという。

「この改造所には2000人入っているから、ひとり死んだところでどうということもない。お前の思想を変えるためには、また労働させればいいだけだ」

彼は労働改造所にいたあいだに、アメリカのジャーナリスト保護委員会から「国際報道自由賞」を授けられた。映画『ジグデル～恐怖を乗り越えて』が世界中で上映され、チベット問題の勇敢な告発者として注目されたからである。

労働改造所に、彼の過去20年に及ぶ電話の通話記録が送られていた。彼が世界的に有名になったことを知った労働改造所は、彼に手枷《てかせ》をはめ、7日間も睡眠なしに通話相手や内容について尋問を続けたという。

日本人監督が解き明かした、チベット人が「抗議の焼身自殺」をする理由

チベット民族はごく些細《ささい》なことで罪に問われ投獄される、といわれている。抗議の焼身自殺者が出ると、その家族が懲役1〜2年の刑となるだけでなく、焼身抗議者のために祈っただけでも投獄される。町中に張り巡らされた監視カメラが、その姿をとらえているからだ。

誇り高いチベット人にとって、自分の体を焼いて灯明《とうみょう》のようにして命を捧げる焼身自殺は、宗教的に正しい、正当な抗議行動なのだという。首吊り自殺や飛び降り自殺とは、まったく意味するところの違うものなのだ。中国政府の圧政に対して抵抗を示すこの自殺方法が後を絶たないのは、いかに中国政府の弾圧がひどいかという証拠でもある。

日本人監督、池谷薫さんが撮影した『ルンタ』というドキュメンタリー映画（2015年）は、このあたりのことをわかりやすく解説してくれている。映画では、1989年にラサで起こった暴動事件以来、141名ものラマ教僧侶が焼身自殺をしたことが報告される。映画に登場する現地ガイドは、こう証言した。

「漢人化政策のために、チベット人と漢人が結婚すると国から毎年1万元が支給される」

「小学校では中国語で授業が行われ、チベット語の授業は週に2時間だけ。教員は皆、漢人だ。チベットの子どもたちはチベット文化を忘れさせられている」

「チベット人は、宗教が一番で仕事が二番。中国政府の西部大開発をチベット人は歓迎していない」

『ルンタ』は、北京オリンピック後もチベット人への人権侵害は続いており、漢化政策がさらに進んでいることを教えてくれる。レンタルでも容易に入手可能な作品だ。ぜひご覧になられることをお勧めする。

人間としての尊厳を打ち砕く
ウイグル族への異常な弾圧

中国政府が最も恐れる
「東トルキスタン」の独立運動

こちらも長らく報道されることはなかったが、チベット以外でも「独立運動」は頻発している。

新疆ウイグル自治区においては、報道管制が厳しいために詳細は不明ながらも、破壊行為やデモが繰り返されてきた。爆薬を大量に所持していたとして、イスラム系テロリストが逮捕されたこともある。北京オリンピックの直前の2008年7月には、雲南省の昆明《こんめい》でバス連続爆破事件が発生した。

また2009年7月5日、漢人への刑事処罰の甘さが引き金となり、新疆ウイグル自治区の首府ウルムチ市で漢民族とウイグル族が衝突。中国側メディアは、死傷者2000人でその大半が漢人だと報じた。一方ウイグル族の支援団体によると、ウイグル人の死者は最大で3000人に上るとしている。

各地で散発的に発生するこうした抗議活動が、「東トルキスタン独立運動」に発展することを中国政府が恐れていることは、明らかだ。その東トルキスタンとは何なのか、以下に説明していこう。

新疆は現在、「新疆ウイグル自治区」となっているが、かつては西域《さいいき》と呼ばれた場所だ。中国共産党による大規模な入植政策により、現在は漢民族の数とウイグル族の数は拮《きっ》抗《こう》し、両者が人口の85％を占めているが、建国前までは、ウイグル族だけで70％を占めていた。新疆には石油などの地下資源も多く、漢民族の大量移住の狙いはここにある。

ウイグル族はもともと、はるか西方から移ってきたトルコ系の人種で、カザフ族、キルギス族、タジク族などと交流を持ちながら、現在の中央アジア諸国一帯に幅広く暮らしていた。その多くがイスラム教徒だ。

歴史を振り返れば、1944年に新疆北部の都市イリを首都にして、ウイグル、カザフ、モンゴルの3民族によって、東トルキスタンなる国が独立を果たしている。ソ連の支持を受けてのことだ。ちなみに、のちに西トルキスタンの地にできたのが、現在のカザフスタン、キルギス、トルクメニスタンなどの中央アジア諸国である。

そもそも現在の新疆ウイグル自治区を含む中央アジアの広大な地域は、元来中国の版《はん》図《と》ではない。ペルシャ語で「チュルク人の国」を意味する「トルキスタン」と呼ばれ、地理的にも文化的、民族的にも独自のエリアだった。

マジョリティとしてのウイグル人と、遊牧民のカザフ、モンゴル人は共存共栄の関係を保っていた。清朝が、北のロシアの南下を防ぐために、漢民族を移住させて新疆省を作ったのは、19世紀末になってからのことである。ちなみに「新疆」とは、新しい疆土=領土という意味だ。

東トルキスタン共和国は、中国建国後に紆余《うよ》曲折《きょくせつ》を経て中国に吸収されていく。そして文化大革命の時代に、中国は東トルキスタンのリーダーたちをことごとく殺害し始め、その暴挙が今日まで続いているのだ。

近年、新疆ウイグル自治区と外界を結ぶインターネット回線が中国政府によって遮断され、自治区内の実態がわかりにくくなっている。自治区内に多数あるとされる労働改造所の全容も、正確には把握できない状況だ。

さらに、信用できないとされる中国の統計でも、とりわけ異常きわまる数字が公表されている。

新疆ウイグル自治区で女性の不妊手術が急増していて、2014年に3000件余りだった手術が、2018年には約6万件となったというのだ。実に19倍である。

また、2019年の出生率（人口1000人あたりの出生数）は8・14だと報じられた。これだけなら普通のニュースだが、実は2017年の出生率は15・88。つまり、この2年間で新生児の数は、ほぼ半減しているのだ。

その理由は何なのか。

自治区内で実施されているウイグル族に対する弾圧方法はさまざまだが、2020年にドイツの研究者が「強制的な不妊手術や中絶が行われている」と指摘している。このような非人道的な人口抑制が、数字となって表われた形だ。

さらにイギリスのBBCは、収容施設にウイグル族が連行された際、性的暴行が日常的になされている、という女性の証言を報じた。

後述するように、かつては漢民族から〝夷狄《いてき》〟として蔑《さげす》まれてきた周辺の「異民族」は、現在は中国政府の方針により、形の上では漢民族と平等な「少数民族」として「中華民族」の一員とされている。

けれども、伝統的な華夷秩序（中華秩序）からの離脱は決して許されず、彼らの不満が沸点《ふってん》に達して爆発するのは当然のことだ。

中華を中心に据《す》えた「統一」の概念、つまり中華思想がある限り、この問題の根本的解決はなされないことだろう。

では中華思想の本質とは何なのか。ここで、その背景を説明していこう。

少数民族迫害の根底にある漢民族の身勝手な「復讐主義」

漢民族の王朝としての中華が、周辺の夷狄を峻別《しゅんべつ》して支配、差別するという「中華思想」は、漢民族固有の民族感情であり、民族論理である。中華はあくまで、中華文明を生み出した漢民族のテリトリーで、周辺でうろうろする野蛮な異民族が口を挟《はさ》める領域ではない、ということだ。

中華に対して不遜《ふそん》にも侵略を繰り返す彼らは、東夷《とうい》、北狄《ほくてき》、南蛮《なんばん》、西戎《せいじゅう》と位置づけられていく。「夷」はえびす。野蛮の意。「狄」は犬のこと。「蛮」の字のなかにある「虫」は蛇。「戎」は戦《いくさ》の道具。つまり、いずれも中華文明に浴《よく》することのない野蛮さを表す蔑称だ。実際われわれ日本人も、かつて中国から「東夷」と呼ばれていた。

これを逆から見ると、ときあらば中原《ちゅうげん》に殺到する彼らの侵略を、漢民族はそれだけ恐れていたということだろう。

例を挙げてみよう。

4世紀の五胡十六国《ごこじゅうろっこく》の時代、北方系の匈奴《きょうど》、羯《けつ》、鮮卑《せんぴ》、チベット系の氐《てい》、羌《きょう》が、漢民族の暮らす中原の地を侵《おか》した。宋代には、タングート、ウイグル、契丹《きったん》、女直《じょちょく》（女真《じょしん》、満州族ともいう）の異民族が侵略を繰り返し、13世紀にはついにモンゴル民族に中国全土が征服されて、異民族王朝「元」が誕生してしまう。

漢民族は明を建国して、元から中原を奪い返すが、17世紀には再び女直が北方より侵入し、清朝を打ち立てて全土を統一する。

このように、中華は絶えず周辺からの侵略にさらされ、複数回にわたる異民族支配に甘んじてきたのだ。

この屈辱を晴らさんと醸成されたのが中華思想で、これはすなわち、民族的「仇討《あだう》ち」を正当化する〝復讐主義〟であり、文明的な蔑視を必然的にともなうものだった。

つまり、文明度の高い中華が、野蛮な夷狄を文明的に同化させることはあっても、その逆はありえない、という考え方となる。

しかし、いくら文明の高さを「夜郎自大《やろうじだい》」に誇っても、現実には夷狄の軍事力に苦しめられ、たびたびその支配下に置かれてきたこと。そしてまた、文明的に下等視されてきたはずの満州族の清が、中華文明の再興に全力を注ぎ、世界帝国としての最大版図を実現してしまったことは、歴史的事実である。

いわば、領土のみならず中華文明そのものも乗っ取られてしまった漢民族は、20世紀に入ってから、その悔しさを克服するために、漢民族と女直は民族的に違うのだという ことを強調し、「排満興漢」をスローガンに、漢民族の精神を高揚させるしかなかった。

そして「反清復明」（清を滅ぼして、漢民族の明を復活させよう）を合言葉にして、復讐主義が正当化されていったのである。

漢民族の考えの基本にあるのは、「中華文明は、われわれ漢民族によって担《にな》われる。漢民族が周辺の異民族を支配することは何ら問題なく、正常な形である。夷狄が頭を下げて帰順するのであれば、喜んで文明を授けよう」というものなのだ。

ジェノサイド裁定されている、法輪功への迫害と「臓器狩り」

少数民族ではないが、一定以上の構成員を持つ国内の集団――それが非政治的集団であっても――に対する警戒心の異常さでも、中国は特出している。

その標的の代表格が法輪功《ほうりんこう》だ。

法輪功は一種の気功修練で、病気治療と健康維持の効果が高く、道徳の向上に役立つということで、「学習者」が1990年代に入って爆発的に増え、1999年には1億人に達したとされる。

中国共産党が重大な危機感を持ったのは、このときからだった。法輪功学習者の数が、当時の共産党員数7000万人を上回ったからだ。

そこで当時の江沢民総書記は、過激な弾圧に乗り出す。学習者を労働教養所に収容し、「法輪功をやめる」という誓約書への署名を強要したうえで、拒否した人には拷問を加えたのだ。

法輪功は特定の宗教団体には入らず、一般人と同じ生活をしながら修練する法門で、費用がかからず、他人に迷惑もかけないため、これほどの広がりを見せたのだろう。


では、いったい中国共産党は何を恐れたのか。

為政者独特の勘として、中国の歴史上、何度となく繰り返されてきた「易姓革命《えきせい》」の再来を恐れたとしか思えない。

法輪功は、民間人のあいだに広く浸透した、悠久の歴史を持つ中国伝統の修練方法である。生きていくうえでの徳目としての「真《しん》・善《ぜん》・忍《にん》」を体得することを目的とし、本来、宗教と呼べるようなものではなかった。

これを宗教と決めつけて1999年以来弾圧してきたのが中国共産党で、法輪功弾圧による悪名高き「臓器狩り」は、現在では世界中が知るところとなった。2009年、アルゼンチンの連邦裁判所は、法輪功弾圧の中心人物として、当時の江沢民総書記を「ジェノサイド」と「拷問」の罪で、国際逮捕状を発行すると裁定している。

さらに2021年5月、米国務省は世界の信教の自由に関する報告書を発表し、中国国内で非合法となっている気功集団「法輪功」に対する弾圧にも言及した。そしてブリンケン国務長官は、法輪功メンバーの拘束に関与したとして、中国政府の幹部や家族に対するビザ発給を制限すると表明したのである。

モンゴル語をこの世から消し去る、2021年全人代での同化政策強化

伝統文化の破壊も、少数民族への弾圧に通じるところがあるといえよう。党が主導し、公認した文化以外は認めないという点において、だ。

中国の伝統文化は、中国共産党によって負の側面のみが強調され、現在はその形骸化もはなはだしいという。

たとえば、京劇は、服装や動作、歌曲は伝統を踏まえたものだが、歌詞は共産党が新

たに作詞したものが大半だ。

　また現在、多くの国に「孔子学院」なる中国政府が多大に関与した教育機関が設置されている。だが、そこで教えている内容は、名前とは裏腹に孔子とはおよそ関係のないもので、実態は中国政府のインフォメーション・センターなのである。

「党文化」と呼ばれる、中国共産党の意を酌《く》んだ現代中国文化は、あくまで党の規律と民族政策にのっとったものにすぎない。中国正史として党史を学習し、党話を聞き、党歌を唱和している限り、他国の文化を素直に受け入れる余地などあるはずがない。


　改革開放がなされる前に輸入された外国映画は、ソ連、北朝鮮、ベトナムなど社会主義国家のものが大半だった。現在はインターネットも普及しているが、回線が中国に入る前に当局によりフィルターにかけられ、「党文化」にそぐわないものは、強制的に遮断されてしまう。

　アメリカの国営ラジオ放送ＶＯＡ（ヴォイス・オブ・アメリカ）に周波数を合わせると、放送を妨害する中国音楽が流れてくると言われている。中国から外国に郵便を送る際には、手紙を郵便局員に見せたうえで許可をもらうとのこと。いやはや、何時代の話なのだろうか。

中国の伝統的な「三節」（祝日）は、もともと旧正月、端午節、中秋節だった。ところが、それぞれ「春節」「労働節」「国慶節」というように、名前を変えてしまった。

しかも、これくらいのことはまだ可愛いもので、三節を祝して大衆の前で演じられる歌や舞踊、漫才なども共産党を賛美するものばかり。漫才などは、いったいどこで笑ったらいいのか、首を傾げてしまうシロモノだ。

呆れてしまうのは、文化大革命時には、小学校で最初に教わる漢字が「毛」だったそうで、最初に覚える言葉は「毛主席万歳」だということ。

「毛」より画数の少ない漢字はいくつもあるはずだが、人生で最初に覚える一文字が偉大な指導者さまの苗字とは、われわれのまともな頭からすると、質の悪いジョークとしか思えないのではなかろうか。

少数民族からその文化を奪い去るには、彼らの言語をなきものにしてしまうことがなによりも効果的で手っ取り早いことは、人類の歴史が証明している。もちろん、現代中国も例外ではない。

強権の度を急速に強めている習近平の、最近の言動を見てみよう。

2021年3月5日、全国人民代表大会開会中に内モンゴル自治区代表団が開いた会議の席上、習近平は「国家共通言語の普及を推し進めよ」と発言。固有の言語を持つ少数民族に対して、標準中国語（北京語）教育をより徹底するよう命じた（3月6日付新華社通信）。

さらに、「中華民族としての意識を掘り下げねばならない」と要求したうえで、2020年から内モンゴル自治区内で強制的に行われている小中学校の中国語教育の徹底を求めたのだ。

それまで自治区内の小学校では、モンゴル語の授業がごく一部認められていたが、それもかなわなくなった。幼い頃から自らの民族の言葉を学ぶことを禁じられた子どもたちの将来は、もはや目に見えている。標準中国語を話せなければ、まともな職に就けないのが現実なのだから、保護者らの抗議運動もおのずと限界があるだろう。

内モンゴル自治区代表団は、「国家が統一的に編集した教材の使用を全面的に進める」と、その場で全員が習近平に誓い、全人代は閉会したのである。

人権侵害を理由とする制裁を、日本だけができない根本要因

一方、2021年春になると、世界は、中国の少数民族へのさまざまな人権侵害について、「もうこれ以上は、座視したまま沈黙を守ることは許されない」と、積極的な行動に出るようになる。無論その理由は、明らかになってきた弾圧の実態が、それほどまでにひどいものだったからだ。

3月22日、アメリカ、EU、イギリス、カナダが歩調を合わせて、とくにウイグル族への人権侵害を理由に対中国制裁を発動。バイデン米政権の誕生で、欧米が結束を取り戻した結果だといえるだろう。

口火を切ったのはEUで、中国の主要当局者を対象に、EU域内の資産凍結や渡航禁止の措置に踏み切り、それに先の3国が続いた。

「一致団結して、ウイグル族など少数民族への抑圧をすぐに停止するよう、中国政府に要求する」とする共同声明を発表。さらに、アメリカのジェン・サキ大統領報道官は「制

裁の一斉発動は、人権問題に対処するわれわれの取り組みを示すものだ」と、強い口調のコメントを出した。

経済や気候変動問題では中国に妥協的態度を示したとしても、人権、ひいては民主主義については譲ることはできない、という決意表明だ。

そして、NATO（北大西洋条約機構）も、中国を名指しして「強権体制から、ルールに基づいた国際秩序を守らねばならない」と、声明を出している。

中国政府や主要当局者の責任を問う西側先進諸国の制裁は、1989年の天安門事件以来のことだ。天安門事件のときは、EUの前身のEC（欧州共同体）が、中国への武器禁輸措置を打ち出している。

一方バイデン政権は、「中国のウイグル族への弾圧はジェノサイドである」と正式に認定し、オランダ議会も「ウイグル族にジェノサイドが行われている」との動議を採択している。

イギリス議会は2月22日、中国でウイグル族へのジェノサイドが行われていると批判する動議を採択した。動議はイギリス政府に行動を求めているが、残念ながら法的な拘束力はない。

では日本はどうか。

現状、日本政府には対中制裁の動きはなく、「中国政府に対して透明性のある説明を行うよう、働きかけている」との、従来からの紋切り型、通りいっぺんの見解を出すだけにとどまっている。

実は、わが国が中国に甘いのには理由がある。人権侵害のみを理由に、他国に制裁を科す法律が日本にはないのだ。日中間のとりあえず良好な（ように見える）経済関係を壊したくないという事情のほかに、このような法整備の弱点があるのだ。中国の思うツボ、としか言いようがない。

アメリカなどの制裁発動に対し、当然のごとく中国は猛烈に反発した。王毅外相は記者会見を開いて、「アメリカは民主や人権の旗を掲げて他国の内政に干渉し、動乱の要因を作ってきた国だ」と反論。ジェノサイドとの指摘には「言語道断だ。下心のある、悪質なデマだ」と、敵意を剝《む》き出しにした。

さらに、「ジェノサイドと聞いて、多くの人が思い浮かべるのは、16世紀の北米大陸の先住民や、19世紀の黒人奴隷がたどった運命だ」と、王毅外相は正義感ぶって主張したが、これらの歴史の、正しい反省の上に立って、現在の民主主義国家が成立していることを、彼はわかっていないようだ。

また、在英の中国大使館は、英議会の動議に対して「今世紀でもっともバカげた嘘」と反撃し、「露骨な内政干渉に強く反対する」とコメントしている。

まったく、中国の反論は噴飯《ふんぱん》ものとしか言いようがない。だが、たとえバカげた言いがかりであっても、きっちりとお灸《きゅう》を据えないと、相手は得意の「歴史戦」「戦狼外交」(攻撃的な外交スタイル)で、ウソもマコトに強引に塗り替えてしまうお国柄だ。

だからこそ、とるべき手段はひとつしかない。ここまで読まれてきた読者の方なら、もうおわかりだろう。

そう、2022年北京冬季オリンピックのボイコットである。

第3章

中国の近現代史に秘められた「差別、暴力の源流」

殷・周の時代から現代まで、まったく変わらない「恩知らず」な行状

あるアメリカ人外交官が記録した、「恥」の概念なき中国人の性質

第1章で、2020年北京冬季オリンピックをボイコットすべき理由を、続く第2章では、世界的なボイコット運動の要因となっている中国の少数民族問題を、それぞれ深く掘り下げていった。

そこでこの章では、では、そもそもそうしたことを行う中国人とは、いったいどういう人種なのか。何が彼らの性格、国民性を根源的に規定しているのか。そして、中国共産党とはどういう存在で、何をし、何をなさなかったのかを、事例とともに見ていくことにしよう。

1931年に米上海副領事となり、その後、福建省副領事を務めたアメリカ人に、ラルフ・タウンゼントという外交官がいる。

彼が、中国での実体験に基づいて書いた記録が、『暗黒大陸 中国の真実』（新装版、田中秀雄・先田賢紀智訳、芙蓉書房出版、原題『WAYS THAT ARE DARK : THE TRUTH ABOUT CHINA』）という本にまとめられている。

タウンゼントは、コロンビア大学を卒業して新聞記者を経験したのち、アメリカ国務省に入省して中国に赴任した人物だ。ジャーナリストとしても確かな目を持っていた人で、赴任先で目撃した中国人の生々しい生態を、ありのまま、かつ克明に同書で描き出している。

そのなかから、中国人理解のポイントになるかと思われるいくつかの要点を、抜き書きしてみよう。

●中国人は、平和や親善についての諺を多く持っているが、世界一喧嘩が好きな民族である

●今も昔も、中国の暴君より獰猛で残忍な暴君は他国にいない
●中国人には、人類に共通する道徳観や恩義の観念がない
●中国人にとって、謀略、裏切りは日常茶飯事である
●中国人は、残酷なことを考え出す天才である
●中国の役人は、儲け話となると容赦しない
●中国人は、ずる賢く言い逃れをし、頑固で嘘をつく性格が治らない
●中国人は、本気でウソをつくというより、ウソをつくことが好きな民族である
●中国人は、カネがすべての現実主義者
●中国人は、「たかり」の名人だが感謝の気持ちは一切ない

同書では、中国人は謀略好きで残虐、「恥」の概念に欠ける民族であると、執拗《しつよう》に例証している。

彼の地では、よほど嫌な思い出があったのだろう。著者のタウンゼントは、こう断言している。

キリスト教徒のみならず、イスラム教徒やユダヤ教徒のように厳しい戒律を持つ一神教の宗教下にある者は、ある程度の「恥」の意識を保持しているものだが、漢民族は個人にしても国家にしてもそれがないのだ。

ここで報告された事例は、90年前の中国の姿だ。しかし、それほど昔のことどころか、つい最近赴任した外交官の記録と言われても、何ら違和感がないと思えるのは私だけだろうか。

当時とは比べものにならないほど豊かな暮らしを送るようになり、世界第2位の経済的実力を持ち、軍事力としては核戦力を有し、国連の常任理事国の地位を占める現在の中国。だが、はたしてその国民性において、90年前からどれほど改善されているのだろうか。はなはだ心もとないと思わざるをえない。

タウンゼントが副領事として赴任した当時、アメリカは中国へ1億数千万ドルに及ぶ経済援助を行い、教会やミッション・スクールを各地に作り、多数の優秀な牧師を派遣していた。アメリカは、中国を近代国家にするために社会インフラの整備にも尽力したのだ。だが、歴史の教えるところでは、結局のところ中国人は恩を仇で返すことになる。

被害者と加害者を巧みにすり替える、西部劇映画と中国〝正史〟の共通点

タウンゼントが憂えたように、中国人が恩知らずな民族であることは、日本に対しても同様だ。

たとえば中国の歴史教科書には、孫文をはじめとする多くの中国人革命家が、日本へ亡命するたびに日本の憂国の士から物心両面で多大な援助を受けていた事実について、一言も触れられてはいない。

あるいは、戦後の国交回復後に中国から来日した大量の留学生や研修生に対して、企業機密の共有を含め日本人が親身に指導したことに関して、中国政府も中国メディアも、いまだ一度も感謝の意を表していない。

国交回復後、日本政府が中国に対して行った財政援助は6兆円以上になるが、それ以上に、カネに換算できない技術的援助は計り知れないものがあった。

ところが、その返礼として受けたのは、尖閣諸島の領土宣言と、公海上の日中中間線

での勝手なガス田開発、日本海域への度重なる侵犯だったのだ。加えて、日本国内の教科書問題、政治家の失言、首相・閣僚による靖国神社参拝、従軍慰安婦問題などをことさら外交問題化し、日本を追い詰めてきたのは、周知のとおりである。

前章でも少し触れたが、中国の史書では、有史以来いくつもの王朝が野蛮な異民族の侵入に悩まされたと、あたかも漢民族が被害者のように記述している。だがこれは、はたして事実なのだろうか。

紀元前17世紀ごろに始まる殷《いん》・周《しゅう》の時代から春秋時代までの約1000年間に、漢民族は組織化された軍事力で、黄河一帯から華南の大平原で遊牧や放牧を営んでいたモンゴル系、ツングース系の諸民族を北方へ駆逐した。

内陸深くに移住していて北方や西方、南方に逃げられなかった異民族は、抵抗の末に殺戮されて滅ぼされるか、奴隷や最下層の民として漢民族に支配されることとなる。

そして、抵抗をあきらめた異民族は、漢民族支配の下で自治を認められ、朝貢を通じて服属したのだ。

現在の中国には56の民族がいるといわれているが、はるか昔、殷が成立した頃には、全土に2000～3000の異民族がいたという。それらを漢民族は長い時間をかけて抹殺し、あるいは強制的に同化させて、ここまで減らしてきたのだ。

漢民族に肥沃《ひよく》な土地を奪われた異民族は、北は現在の内モンゴル自治区や東北3省（吉林省、黒竜江省、遼寧省＝旧満州）方面、西は四川方面へ逃れ、南に向かった異民族は現在の雲南省、広西省からベトナム、タイ、ミャンマー方面へと去っていった。

だが、それらの土地は、黄河周辺の豊かな土壌とは異なり、生活環境は厳しく、食糧が枯渇すると部族を糾合《きゅうごう》して、中原の漢民族王朝の村落を襲わざるをえなくなる。

戦後大量に作られたアメリカの西部劇映画では、開拓時代の善良なアメリカ人を野蛮なインディアン（ネイティブ・アメリカン）が襲撃するというのが定番だった。そこに描かれた構図と同様のものが、中国大陸でも展開された、とイメージすればわかりやすいだろう。

居留地に追いやられ土地を奪われたネイティブ・アメリカンと、中国周縁部の異民族。アメリカの開拓民も漢民族も、自らを歴史の被害者に割り当てたほうが、何かと都合のいいことがあったのではないだろうか。

漢民族は、春秋時代からおよそ3000年ものあいだ、何度となく飢饉に襲われ、人口がどれだけ激減しようとも、決して長城を越えて異民族が住む「化外《けがい》の地」へ逃れ出ることはなかった。「化外の地」は人間の居住には適さず、食べられるものもなく、楽な暮らしなどできないことが、わかっていたからだ。

実は、漢民族が中原の地を出て化外の地に大量移動を始めるのは、1980年代に入って、共産党政府が華北平原や沿岸部に集中した過剰な人口を緩和するために、チベット自治区や新疆ウイグル自治区への移住政策を導入して以来のこと。つまり、ごくごく最近の事象なのだ。

そして、前章で紹介したように、辺境異民族を中国文明に同化させる「漢化政策」が、それを後追いしたのである。

これを見てもわかるように、中国政府による少数民族差別は今に始まったことではない。むしろ、社会主義で人間の平等を目指すといいながら、実は歴史的、DNA的にも〝他者〟を差別する構造が、根深いところでじっくりと醸成されてきたというのが、中国社会の真実なのである。

自壊した国民党軍と焼け太りし続けた共産党軍

時代は下って、第2次世界大戦後のこと。

1946年6月、敗戦により、共通の敵である日本軍が中国から姿を消すと、国民党と共産党は本格的な内戦に突入する。

国民党軍は、アメリカの「対中軍事援助法」によって多大な支援を受けており、兵力においても、支配領域においても、共産党軍を圧倒していた。国民党軍は、10月に華北の共産党統治区の中核であった張家口《ちょうかこう》を、翌1947年3月には共産党中央が置かれた延安《えんあん》を陥落させ、毛沢東ら指導者たちに再び逃避行を強いたのである。

しかし、国民党の攻勢はわずか1年で終わった。かつての日本軍のように「点と線」のみの確保しかなされず、まもなく両党の形勢は逆転したのだ。各地に兵力を分散させ、補給線を引き延ばした末の敗退を、国民党軍は余儀なくされてしまう。

さらに6月からは、共産党軍による中国全土にわたる全面的な反撃が開始され、遼瀋《りょうしん》戦役、淮海《わいかい》戦役に続き、北平《ほくへい》（北京）と天津《てんしん》を奪取した平津《へいしん》戦役の三大戦役に勝利し、杭州、武漢、上海などの重要拠点を瞬《また》く間に落としていった。なお、徐州周辺の確保をめぐる淮海戦役で指揮をとったのは、若き日の鄧小平である。

もはや中共軍の戦いは、対日戦争時に農村に展開された遊撃戦（ゲリラ戦）ではなく、機関銃や戦車によって重装備された大規模なものになっていた。

これには、日中戦争後いち早く中国東北部に軍を送り、すでに満州に侵攻していたソ連軍の庇護《ひご》の下で旧日本軍の武器を奪ったことが、大いに寄与している。

国共内戦中、国民党軍からは逃亡や寝返りが続出し、中共軍は逃亡者の武器をも手に入れ、雪だるま式に兵力を拡充。国民党軍においては、中共軍に直接撃滅された部隊よりも、中共軍に進んで自ら寝返った部隊のほうが、はるかに多かったといわれている。

1949年に入ると長江以北のほぼ全域が中共の支配下となり、4月に長江渡河作戦が開始されて、国民政府の首都南京が陥落。8月に長沙《ちょうさ》、10月には新疆、寧夏《ねいか》など西北地方も支配下に組み入れた。

こうしてついに、1949年10月1日、毛沢東による北京での中華人民共和国の建国宣言と相成るわけだ。

けれども、実はその時点に至っても、まだ全土の統一はなされていなかった。10月半ばに国民政府の新首都広州が、11月に重慶が、さらに12月に国民政府の手中に最後まで残っていた四川省の省都である成都が落ちて、国共内戦は収束する。最後は四川軍閥の寝返りを受けての、地滑り的勝利だった。

流血の戦闘行為と化した「農業税」という名の現物収奪

戦いの陰でひそかに行われていたのが、共産党軍による食糧の調達だ。過酷をきわめる食糧調達は、内戦終了後にかえって強制力を増していった。

現物による農業税の徴収は、新たな支配地域で政権が直面した最重要課題で、容赦のないものだった。ひとえに、内戦の過程で急膨張した軍隊と、党に属する行政職員を食わせるためのものだったのだ。

このままでは革命政権は飢えて立ち腐れてしまうという恐怖に駆られて、強権的に食糧を収奪する様子は、当時の食糧徴発を現場で担った共産党軍の兵士の多くが証言している（もちろん反省からではなく、業務を立派に誇示した、という記録だ）。

彼らは、自分たちの周囲になお強力な敵が潜伏していて、いつ反撃してくるか知れたものではないという不信感、猜疑心《さいぎしん》に満ちていた。そのことが、食糧収奪をきわめて容赦ないものにしていったのだ。

四川省を例にとると、国民党を追って省内になだれ込んだ共産党軍は100万人近かったとされる。

彼らにとって、隣接するチベットに向けて、これから侵攻していく部隊の食糧調達が急務だった。内戦末期に大量に発生した難民や棄民を放置しておくこともできず、そのためにもまずは食べ物を与えて、動揺を鎮める必要があったのである。

食糧が決定的に不足していた背景には、内戦時の農業生産力の低下という国内要因だけでなく、台湾に逃れた国民政府が制海権を確保していて、沿海地域の港湾が封鎖され、食糧輸入が途絶《とだ》えていたという要因もあった。

農業税（といっても穀物の現物だが）収奪の実態は、武装して抵抗する農民たちとの、流血の戦闘行為となったのである。

つまり銃撃戦のなかで、共産党軍は農業税を取り上げるという業務を遂行していたわけで、共産党政権の革命後における最初の政策執行は、このような荒々しい暴力をともなうものだったのだ。ここに、後世に受け継がれる、彼らの悪《あ》しき遺伝子の元をたどることができるだろう。

自発的どころか超強制的だった、軍による兵士と食糧の戦時徴発

敵は身近にいるという感覚は、その後も一貫して革命政権につきまとい続けた。

1950年6月に勃発した朝鮮戦争では、共産党は国民党系の特務（スパイ）摘発を目的とした極端な反革命鎮圧運動を繰り広げ、政治教育に明け暮れる。

一般の中小地主たちの行動、日常生活を事細かく監視し、地主が村の外に一歩出るだけでも公安や民兵の証明が必要となり、農村社会に広く浸透していた宗教結社の一掃も図られた。

前の章でも触れた、のちの法輪功弾圧の原点はこのあたりにあるといえよう。民間宗

教の指導者たちは反革命分子として処断され、社会にとって余計な中間物として排除されていった。農村社会が党と直結できるようにするためである。

では、内戦を戦い抜いた共産党は、拡大していく統治区のなかで、具体的にはどのような形で食糧や兵士の戦時徴発を行ったのか。

従来の見解（すなわち共産党のしてきたことは絶対的に正しいとする見方）では、次のようなものとされてきた。

「封建的な軛《くびき》から解放された農民大衆は、共産党軍がやってくると階級的自覚を高めて、共産党を熱烈に支持する、革命思想に目覚めた存在に変貌し、自発的に食糧を差し出し、自ら進んで共産軍の新兵となった」

ところが最近の研究では、そんなことは決してなく、強制力をもって共産党軍は食糧、兵士を召し上げたことが明らかになっている。

共産党は、まず打倒すべき階級として「地主」「富農」を指定した。

主たる目的は余剰食糧を強制的に没収することにあり、食糧以外にも各種財産を根こそぎ収奪する。この行いは徴収というより、武力を背景にした〝武闘〟と呼ぶべきもので、その成果の大半は、農民大衆に分配されずに政府や軍に優先供出され、内戦に必要な物資として確保されていった。

つまり、進攻してきた共産党の土地改革によって、食糧や富の分配を受けた農民が、その恵みに感謝して共産党の諸政策を支持し、自発的に食糧を供出したという党の「説明」は、実証的に否定されているのだ。

共産党統治区で新たな兵士となった農民は、多くが最貧困層であり、従軍の動機の多くは、残された家族への食糧の優待や雇用による金銭の授受といった、経済的理由が大半とされる。

もちろん、従軍の対価として支払われる食糧は、土地改革によって富農から暴力的に強奪したものだ。ただし、階級区分には常に恣意《しい》性がつきまとい、打倒されるべき階級の対象は、必要に応じて拡大された。

そうしたなかで、農民たちは疑心暗鬼に陥り、いつ自分が打倒対象になるか、予測がつかない恐怖に駆られる。そのため従軍の見返りとして、残された家族の階級区分に手心を加えてもらうことは、日常茶飯事だったのである。

こういった史実は、中国共産党が喧伝してきた「革命史観」とは大いに異なるものだ。総力戦を余儀なくされた国共内戦を戦い抜き、勝利後、支配地域で共産党軍が執行した政策は、富農を標的とした階級闘争論に裏付けられているように見えて、実は苛酷で容赦のない、きわめて現実的な〝搾取〟以外の何ものでもなかったのである。

ある日本人女性地主が書き残した、文革から現在に至る暴力支配の根源

福地いまという日本人女性が書いた、『私は中国の地主だった』（岩波新書）という本がある。

彼女は、明治大学在学中に地主の息子の中国人留学生と結婚し、卒業後、夫とともに北京へ渡ったのち、1947年に夫の郷里である四川省へと移住。夫と死別後は日本人女性地主として、共産党の土地改革をはじめとする革命前後の激動期を生き抜くという、数奇な人生を送った人物だ。

嵐のような土地改革の最中、中共軍の政治教育の洗礼を受けた福地からの聞き書きに

よるこの本は、党の公式見解をなぞっている趣《おもむき》もあり、このあたりいかにも岩波書店の本という感じだ。ただ、それを差し引いても、富農である地主の立場でしか経験できないことや心の動揺が、赤裸々に書かれているところに価値がある。

福地のいた四川省の土地改革は1950年に始まり、過去に地主が小作人から受け取った小作保証金（土地の小作権を手に入れるため、小作人が地主に納めた金銭、食糧などのこと）の返還が強要された。

その際、地主は村人全員が参加する大衆集会の場に引きずり出され、衆人環視のなかで支払いに応じる。素直に応じない地主は、怒号を浴びせられたうえ、監禁などの制裁を受け、抵抗むなしく、最後には全財産を申告したうえで没収されるのだ。

これを行うのが中共軍のなかの「土地工作隊」である。彼らは訓練と経験を積み重ねており、狙った地主を逃すようなヘマは絶対やらなかったという。福地いわく「それは恐ろしいものだった」とのことだ。

土地工作隊は、財産を申告した地主を3つに分けた。

①申告内容が十分でないとした「頑固地主」
②元来貧しくてこれ以上何も出そうもない「乾いた地主」
③①と②の中間の「疑わしい地主」

彼らは監視つきの思想教育を受け、隠し財産について自白するよう、暴力的な圧力をかけられた。

福地が入れられたのは、③のグループだ。

こうして、地主同士の密告によって次々と隠し財産が摘発されていく様子は、読んでいて寒気がするほどである。だが、地主たちは共産党軍への忠誠心を誇示するために、同じ境遇にいる地主たちに、異常とも思える攻撃性を発揮していく。

ここに、中国共産党の人民支配の根幹があるのではないか。

この風景は、のちの文化大革命時の混乱期に、日常的に中国全土で見られたものだ。

「あいつのオヤジは元地主だった」

「担任の先生は走資派（資本主義者、ブルジョア）に違いない」

といったように。

もちろん、現在でもこうした構図は容易に目撃できるであろう。

福地は、わずかばかりの財産をこっそり親族に預けていた。ただし、難病の娘が心配なこともあり、悩んだ挙句に預けなかった分を自ら共産党軍に差し出した。ところが、案の定、隠し財産の発覚はさらなる疑惑を招き、ついには三度の食事まで監視されるようになってしまう。

福地は、こう書き残している。

思えば、これが革命です。革命の前には個人の名誉、地位、財産、そして生命さえも何でもありません。みな浩々蕩々《こうこうとうとう》として押し流されてしまうのです。

古い面子《メンツ》、信用、権威、一切が根こそぎ引き抜かれてしまいます。

ついに私は革命の規律に服することを決心し、投降しました。

こうして地主たちは、大衆集会の席上で過去の搾取や行状を謝罪させられ、申告したすべての財産を没収されていった。だが、なおも謝罪や申告が不十分と見なされた地主は人民裁判にかけられ、罪状にしたがって死刑、労働改造、人民監視などの判決を受けたのだ。

なかでも死刑となると、見せしめのために大衆集会の場で即刻執行されるのが通例である。

ここに、中国共産党の政治支配の原点があるといっても言いすぎではないだろう。人権への配慮などは微塵《みじん》もなく、人々の恐怖感に訴える暴力支配の強行こそが、この中国共産党政権の本質なのである。

国よりも共産党が上に立つという摩訶不思議な支配体制のワケ

あいまいなまま今日まで続く党、軍、国家の異様な三角関係

中国という国は、国家（立法、行政、司法）と党、そして軍という3つの要素から成り立っている。通常の先進国では、国家に最大の重点が置かれるのに対して、党がすべてに優先するという異様な構造になっているのが大きな特徴だ。

近代民主主義の概念では、国家は三権分立で成立しており、三権が互いに連携、補完、チェックし合って、国民の生活と安全を守るのが常識である。ところが、中国は党が国家に優先して、軍を支配しているのだ。

したがって、党と国家の関係、党と軍の関係が理解できれば、中国という、他の先進

諸国とは構造的に大いに異なる〝お国柄〟を理解することができるだろう。

とはいえ、この三者の関係を公式制度の面から検証するのは、とても難しいということも事実だ。

というのは、三者の相互関係を規定する内規自体が公表されておらず、実際には規定がないままに場当たり的、恣意的に三者の関係が形作られてきたからである。

中国共産党は、その定義として、「政治生活のなかでの党の指導性」というあいまいな言葉でしか説明されていない。しかも1954年に制定された中国憲法では、党に触れた部分がないのだ。

党は、もともと国家の制度内では、あくまでも影の存在だった。

それなのに、憲法制定のわずか2年後の第8回党大会で、劉少奇《りゅうしょうき》副主席は次のように宣言し、共産党の国家に対する優越性を強調した。

「わが国の人民民主独裁の権力は、党によるプロレタリア独裁にほかならず、プロレタリアートはその前衛である中国共産党を通じてのみ、重大で複雑な任務を実現することができる」

「党が国家を指導する」という摩訶不思議な構図が、この頃から出来上がってきたということだ。

なお、党の国家に対する指導とは、中国の場合、以下の4つの分野で行われる。

①軍隊

②政治と国家機関

③政治協商会議・民主党派

④労働組合・共産主義青年団・婦人連合会

そして1997年に、「中国共産党党内法規制度手帖」なるものが公表され、「党は政・軍・民・学ですべてを指導する」と明示されるに至る。

そのうち、国家機関に対する指導はとくに厳しく、①党への報告の義務、②国家機関幹部の任免と管理は党が行う、③党と政府は連合して命令を出す、などの制度が確立された。

党が判断に1センチ間違えば、たちどころに国家は1メートル過つ

党は政府機関内に党グループ（党組）や党委員会を設け、国家機関の幹部を管理し、またはリクルートすることができる。つまり、党の「一元化指導」の下に国家がある、という構図だ。

この構図が最大限に力を発揮し、1966年から10年にわたって人民を塗炭《とたん》の苦しみに突き落としたのが文化大革命である。その最中の1975年に改定された憲法では、こう明記されることとなった。

「中国共産党は全中国人民の指導的中核である。労働者階級は自己の前衛である中国共産党を通じて、国家に対する指導を実現する。中華人民共和国の指導思想は、マルクス・レーニン主義、毛沢東思想である」

唯一君臨する党が判断に1センチ間違えば、その影響下、たちどころに国家は1メートル過《あやま》つ、というのが中国の偽らざる〝統治スタイル〟なのだ。

憲法はさらに1982年に改定されるが、国家機関内に網の目のように張り巡らされた党の組織網によって、党が国家を支配する構図が完成する。この状態が、「党政不分」の原則どおり、あざなえる縄のごとく、今日まで変わることなく続いている。

中国が、いまだ民主国家でない最大の証しは、全国人民代表大会、地方人民代表大会の代表選出の実態からもうかがわれる。

実は中国にも選挙自体はある。だがそれは、民意を代表しているとは、とてもではないが言い難い、きわめて形式的なものにすぎない。

曲がりなりにも民主主義を実現した先進国の選挙は、「直接」「秘密」「平等」「普通」の四原則の下にあるとされる。

すなわち、有権者が自ら直接投票する。どの候補に投票したかを知られることがない（無記名投票）。一人ひとりが平等に1票を有する。そして、財産や性別、地位などに関係なく投票権がある、という4つの原則だ。

この四原則が、中国においては法の上でさえ実現されておらず、経済が成長しようが、識字率が高まろうがおかまいなしに、国家による徹底した管理選挙を実施している。やや煩雑《はんざつ》だが、具体的にはこういう形である。

①地域代表制が原則で、農村と都市の代表権格差がはなはだしい
②複雑な間接選挙に加え、競争選挙ではない（候補者は定数と同数）ので、党が用意した候補者リストの信任投票にすぎない
③反革命罪で起訴、審理中の者に選挙権はない（少数民族の問題がここに該当する）

かつて鄧小平は「大陸では次の世紀に、半世紀以上を経て普通選挙が実行できるだろう」と、言い放ったとされている（1987年の発言）。逆に言えば、2050年代までは、先の4つの原則に守られた民主主義国では当たり前の選挙は、「とてもじゃないけれど中国では無理だ」ということなのだろう。

いまだに〝党の軍隊〟の基盤となる「銃口から政権が生まれる」という真理

次に軍、武装組織を見ていこう。

中国の武装機関は、人民解放軍、公安部隊、警察の3つからなっており、いずれも国家の独立と、領土の保守、革命の成果を守ることと、人民権益を維持することを、その任務としている。軍はあくまでも党の軍隊であり、ここに中国軍の、他国には見られない特殊な性格がある。

もうひとつの特徴は、正規の武装力以外の民兵が存在すること。

中国は建国以来、全人民が事に臨《のぞ》んで武装するという基本姿勢を堅持し、有事の際の民兵が制度化されている。これは徴兵制とは異なるもので、朝鮮戦争当時には民兵数は、なんと2億2000万人にも上ったとされる。

軍こそは党の母体であり、中国軍がロシア軍や米軍などと大きく違うのは、軍隊の任務が戦闘や防衛に限られず、生産活動、政治活動にもあるという点だ。

国共内戦時、まだ紅軍と呼ばれていた頃、共産党軍は革命の政治任務を執行する武装集団であり、加えて宣伝、大衆の組織化も重要な任務としていた。

その伝統が今も続いている、ということが言えるだろう。中国の軍隊は、国防軍、革命軍、生産軍という複数の顔を持っているのである。

1938年に中国共産党の根拠地だった延安の洞窟のなかで、毛沢東が発した有名な言葉がある。

「共産党の一人ひとりが〝銃口から政権が生まれる〟という真理を理解すべきである。延安のすべては銃口が作り出したものである」

この原則は半世紀以上を経た今日もまったく変わらず、保持されている。中国軍は国防のための軍隊にとどまらず、今なお、党の軍隊であり、国防、国家建設、政治工作などの複数の任務を併せ持っているのだ。当然、国家反逆罪の対象となる少数民族の「動乱」平定の任務にもあたる。

軍の統帥権は形式上、国家中央軍事委員会が有しているが、この委員会は党の中央軍事委員会とまったく構成が同じで、事実上ひとつの組織だ。

中国の軍が国軍でなく「党軍」であることが明白なのは、国防法第19条で、はっきりと、こう規定しているからである。

「中華人民共和国の武装力量は、中国共産党の領導を受け、武装力量内にある共産党組織は共産党の規則に従って活動する」

当たり前のことだが、近代国家の軍は国軍が前提となっている。国軍以外の武装勢力がその国に存在していては、国家の体《てい》をなさないからだ。

中国とて近代化の過程で「国軍化」が求められ、実際それに合わせて変貌した部分もある。にもかかわらず、国法をもって党の領導をうたっているのは、異様な光景であるとしか言いようがないだろう。

社会のそこかしこに組み込まれた、党による監視と密告のシステム

最後に中国共産党、それ自体について見ていきたい。

中国共産党の党員は約9000万人。中国全体の人口は14億を超えているので、総人口の約6%を占めていることになる。比べればわかるように、ドイツの人口、約8300万を大きく超える、巨大政治集団だ。

「党」という字がついているので、日本人の感覚からすると政党のようなものと思ってしまいがちだが、それは大変な誤解だということを、まず知っておきたい。中国共産党は、日本の国会にあたる全人代を構成する単なる一政党ではなく、国全体の末端までを支配する最高権力組織であり、国中を監視して常に体制強化を図る巨大な機関なのだ。

現行の憲法には、たしかに「全国人民代表大会が最高の国家機関であり、一切の権力は人民に属する」と明記してある。

だが、これは文言上だけのこと。それに続く条項には、はっきりと「法律機関も党の

指導を受けなければならない」と書かれている。とりもなおさず、中国共産党が最高機関だということだ。

では、繰り返しになるが、中国に三権分立はあるのか?

そんな気のきいたものは、あるわけない。それが答えだ。

司法を司《つかさど》る裁判所内には必ず党の支部組織が置かれ、党書記が常駐している。そして当然、判決が下る前に、党の指導が入ることになる。

曲がりなりにも近代国家であるならば、独立した司法が国内法に照らして、合法か違法かの判断を下すわけだが、中国では原理的にこれが通用しない。

何が罪であるとか、誰が敵であるとかを決める主体が党。そして、罪を告発する主体も党だからだ。

立法でいえば、全人代に出席する代表を選ぶのが、中国共産党である。自分たちに都合のいい人間を選ぶのは当然で、党の方針にイエスと賛同する保証のある者だけが、行儀よく人民大会堂に居並ぶ構図となる。

全人代は毎年1回、3月に10日ほどしか開かれず、シャンシャンで終了。党の基本方針を公式に確認するだけのイベントにすぎない。

行政として日本の内閣に相当するのが国務院だが、ここのメンバーもすべて党員で、国務院自体が党に隷属する形となっている。

そして、ご存じのように、三権のすべてを握る中国共産党の頂点に位置するのが、現在、習近平が就いている党書記だ。

中国ではたびたび憲法改正が行われたが、2018年3月の改正で、従来は連続2期までと制限されていた行政府の長、つまり国家主席の任期自体が廃止され、事実上、習近平は終身で国家主席の椅子に座り続けられることとなった。


国家が仕切る政府、役所、企業、学校、研究所、文化団体の他、民間が営む工場、商店など、あらゆる組織に「単位」と呼ばれる共産党支部があまねく存在する。ごく一部の例外を除いて、都市部に生きる人間は必ずどこかの「単位」に属さなければ、生活ができない（農村部の人間には、「単位」に代わるものとして「農村戸籍」がある）。

「単位」は密告の土壌であり、相互監視の温床となっている。前に見たように、今も昔も中国社会では、誰が何を考えているか、何をしようとしているかを、常に見張っている仕組みが、社会にがっしりと組み込まれているのである。

まさに、ジョージ・オーウェルの小説『1984』そのもののディストピア社会が、中国の現状なのだ。このような状態で、内側から中国が変わるはずがないことなど、容易に理解できるのではないだろうか。

第4章

ウイルス以外にも世界に拡散する「中国産の害悪」

もはや安全保障の脅威と化したルール無用の経済・外交政策

習近平の人格を決定づけた文革による「いじめ」と「下放」

中国は国土が広く、人口が14億以上もあり、国際ルールなどを律義に守っていたら生きていけない、世界一生存競争が激しい国であることは認めよう。だが、そのルール破りのひどさが、近年エスカレートするばかりなのは、当然のことながら見過ごすわけにはいかない。

とにかく中国は、道徳も倫理もなく、刹那《せつな》的に目先の金銭を求めてとどまるところを知らない。近代国家が長い年月をかけて構築したビジネスルールを、片っ端から破壊していく。工業技術、通信技術を盗む、資金をだまし取るなどは日常茶飯事、というありさまだ。

こういった〝悪行〟は、現代中国の指導者世代が、政治的、社会的に未曽有の大混乱を来し、一説では1000万人以上が殺害され、1億人以上が被害に遭《あ》ったとされる文化大革命時に多感な青春時代を送ったことにも、由来しているのではないだろうか。

習近平もその例外ではない。

1950年代生まれの、中国共産党現行指導部のメンバーは、文革時は小学生から高校生であり、誰もが、振り返りたくない過去を生涯の傷として持っている。

彼らは成長期の10年というあいだ、まともな教育を受けておらず、何もわからないまま、大半の時間を非生産的な政治闘争に捧げることを余儀なくされるという、人間形成上、苛酷な状況に置かれていたのだ。

習近平の父・習仲勲《しゅうちゅうくん》は、毛沢東や周恩来と並ぶ革命第1世代である。だが、国務院副総理時代の1962年、政治闘争に巻き込まれ、母・齊心《さいしん》とともに「反革命分子」として批判を受けて粛清される。そして、66年から10年続いた文革期を含め16年間も拘束され続けた。

文革時、習仲勲への批判集会は1週間以上も続き、その間ほとんど食事も与えられず、集会から解放されても狭い部屋での軟禁生活は3年にわたった、といわれる。

もちろん、父が党幹部から一転「政治犯」となってしまったのだから、子の習近平に影響がないはずがない。文革が始まった当時、13歳だった習近平は、学校で罵倒、批判、いじめに遭い、15歳のとき「少年反革命罪」という有罪判決を受ける。そして1969年、父・習仲勲が毛沢東らと築き上げた革命根拠地である陝西《せんせい》省延安の農村に、自ら進んで「下放《かほう》」されたのだ。

つまり習近平は、一番多感な時期、しかも学校でいじめられるという厳しい状況にあったにもかかわらず、親の愛情を受けることなく大人になったのである。このことが、精神衛生上いかに深刻な影響を与えることになったかは、想像に難《かた》くないだろう。

なお下放とは、文革中に紅衛兵に代表される大衆の暴走が、極度にエスカレートしていく過程で派生した国策である。

扇動された大衆は、より過激な路線に走り、派閥同士の内紛を始めた。それに手を焼いた毛沢東が次のような指示を出す。

「若者は農村へ行って、貧困農民からもっと教育を受けるべきだ」

こうして、争乱状況を抑えるべく、若い人たちを都市から地方へと追いやった大衆運動「上山下郷《じょうさんかきょう》」のなかで生まれたのが「下放」なのである。

これは事実上、都市部の知識青年を地方に追放するもので、中国の統計では1600万人もの若者が強制的に地方へと移住させられたという。

少数民族に融和的だった父と「中華帝国皇帝」となった息子

今や習近平は太子党（高級幹部子弟）の代表的存在だ。

無論、父親が文革時の迫害で政治生命を絶たれていたら、今日の姿はなかっただろう。だが、習仲勲は文革終了から2年後の1978年、念願かなって政界に復帰。広東省第一書記として、改革開放路線を進め、深圳《しんせん》経済特区開発の立役者となる。やがて、中央政界に返り咲き、政治局員に抜擢。胡耀邦《こようほう》党総書記を陰に陽に助け、中央書記処書記、全人代常務委員会副委員長など要職を歴任した。

なお、皮肉なことに習仲勲は、少数民族に対して融和的な政策を推進した。とりわけ、ダライ・ラマの信頼を勝ち取り、ダライ・ラマ自身「とても親しみやすく、心が広い、たいへんな好人物であった」と、習仲勲について語っていたという。父とは対照的な、息子・習近平の少数民族に対する苛烈な仕打ちも親の愛情が足りなかったせいと考えるのは、うがちすぎだろうか。

習近平は下放先の延安で、のちに政界の盟友となる王岐山《おうきざん》と知り合った（現在は不仲説もあり）。さらに1974年、ここで中国共産党に入党。そして、政界復帰した父の力も借りつつ、徐々に党内で頭角を現していく。

福建省、浙江省《せっこう》などの幹部職を経て2007年、上海市党委書記に就任。翌年、国家副主席となり2012年、ついに第5代最高指導者となったのである。

その後はご存じのとおりであろう。国内的には、王岐山とともに「反腐敗」の名のもと、次々と政敵を打ち倒していく。そして2018年、憲法を改正し習近平思想を盛り込むとともに、2期10年という国家主席、副主席の任期を撤廃。まさに「中華帝国皇帝」として、独裁体制を盤石なものとしたのである。

一方、対外的には、鄧小平以来の外交方針だった「韜光養晦《とうこうようかい》」（能力を隠して、ひそかに力を蓄える）路線を変更。一帯一路、AIIBなどを通じてアジア、アフリカ、ヨーロッパ諸国にまで影響力を駆使しつつ、南シナ海の領有権を主張し人工島に基地を置くなど、その対外的な野望をもはや隠そうとはしなくなった。

そして、2022年北京冬季オリンピック開催で世界にその成功ぶりをアピールし、さらなる膨張を図る。繰り返しになるが、ここで第二のアドルフ・ヒトラーの誕生を阻止できるかどうか、われわれはその瀬戸際にいることを忘れてはならない。

天気から風向き、波の高さまで、1日18回も尖閣情報を流す福建省のラジオ局

そこで、考えなくてはならないのは、中国の対外膨張路線に対する日本のとるべき態度だ。

習近平が政権に就いた早い段階から、中国が尖閣諸島問題で強硬姿勢をとってきたこ

とは、周知の事実であろう。

民主党政権下の2012年、東京都知事の石原慎太郎が尖閣諸島買収化計画を発表するや、中国の外交政策を決定する最高機関「中国共産党外事工作指導小組」の正規メンバーではなかったにもかかわらず、当時、国家主席で中央軍事委員会副主席であった習近平が同小組に出席し、こう発言して周囲を驚かせた。

「石原の計画が現実のものとなれば、解放軍は戦闘機を飛ばし、軍艦を派遣して、島々を実効支配すべきだ。われわれは相手国に軍事的教訓を与える用意がある」

現在、尖閣諸島に近い福建省政府のホームページや、省内で発行されている新聞には、諸島周辺の天気の他、風向きや風力、波の高さなどの予報まで掲載されている。現地のラジオは毎日18回も、これらの情報を放送しているという。

中国政府は尖閣諸島周辺を、人工衛星を使って遠隔監視する「海域動態監視観測管理システム」の範囲内に定め、実効支配の既成事実を作り上げているのだ。

2021年4月に中国は、人工衛星の観測技術を用いた尖閣諸島の地形調査を一方的に公表した。日本の実効支配を崩し、領有権を国際社会にアピールする狙いである。これは、中国政府の見解をまとめた専用のウェブサイトでも公開されていて、世界中からアクセス可能だ。

ご丁寧なことに、陸地に加え、深さ30メートルまでの浅海部のデータも載っている。尖閣諸島でもっとも大きい魚釣島《うおつりじま》の地形については、「標高362メートルと320メートルの峰が中南部に位置し、北の斜面が緩やかで南側が切り立っている」と、図や写真つきで解説しているのである。

ではなぜ、中国は実効支配を急ぐのか。その背景には「国際ルールに基づいた2020年問題」と呼ばれる事情があるといわれる。

それは、いったい何なのか。実は、「実効支配が50年続くと国際法の判例からその国の領土として認められる」という国際ルールがある。

尖閣諸島が、沖縄復帰によりアメリカから日本に返還されたのが1972年5月だから、50年後は2022年5月。この年までに中国が実効支配の一端に加わっていないと、以後中国は尖閣諸島にまったく手出しができなくなるのだ。

2022年に習近平が最高指導者の座にとどまっているのは確実なので、この年に尖閣諸島が日本領土と国際社会で認定されれば、中国国内で政権が批判される可能性が高くなる。習近平は、なによりそれを恐れていると言われているのだ。

中国政府の態度は、日本政府に対して次の3条件を守らせるということで、一貫している。

①上陸しない
②資源開発をしない
③海洋調査をしない

返す刀で自らは、終戦記念日に合わせて毎年のように本土の意を受けた香港の民間団体を島に上陸させている。終戦記念日に強行するということは、反日運動にリンクさせようとする意図があるからに違いあるまい。

「尖閣諸島問題については、今回は話したくない」と語っていた中国

実は尖閣諸島をめぐる中国の姿勢は、必ずしも首尾一貫したものではなかった。1968年以降、尖閣諸島周辺に石油と天然ガスが大量に埋蔵されていることが国際調査で明らかになるや、中国は突如として自国領土であると言い始めたのだ。

本当に自国領土であるならば、太平洋戦争終戦後に日本を占領したアメリカが諸島を領有していたのだから、1949年の建国時にアメリカに対して領有権を主張しているはずだ。だが、その事実は一切ない。

日本に対して領有権を主張した後も、1972年の日中国交回復交渉で、当時首相だった田中角栄が、「尖閣諸島についてどう思うか?」と聞いたところ、周恩来は次のように答えている。

「尖閣諸島問題については、今回は話したくない。今、これを話すのはよくない」

また、1978年の日中平和友好条約締結時には、鄧小平は訪中した福田赳夫首相に対しこう話した。

「われわれの世代の人間は知恵が足りない。われわれのこの話し合いはまとまらないが、次の世代はわれわれよりもっと知恵があろう。そのときは、みんなが受け入れられるいい解決方法を見出せるだろう」

ところが1992年、当時の江沢民総書記が一方的に「領海法」という名の法律を作り、尖閣諸島の領有を明記。国際ルール無視の暴挙を行ったのだ。

そのうえ、こんなことまであった。

日本と中国は排他的経済水域として、沖縄諸島と大陸沿岸から等距離に引いた線を中間線としていた。その後、中間線付近に天然ガスが埋蔵されていると確認されると、日中両国は「ガス田開発は相互に話し合って解決する」としたのだが、90年代末から中国は日本に無断で中間線付近にガス田掘削機を設置。2004年からは、誰はばかることなく堂々と採取し始めたのである。

日本が抗議すると、あろうことか「中間線の日本側の海域内に日中共同で掘削機を設置しよう」と提案する始末。日本は完全に、なめられているとしか言いようがない。

中国が、日中中間線を認めない方針に転換したのは、自国海域を決める際の基準として大陸棚延長論を採用したからとされている。

しかしながら、その主張に従うと、中国大陸から始まる大陸棚は沖縄付近まで延びているため、下手をすると沖縄周辺までもが中国海域に入ってしまう。沖縄は、まごう方なき日本の領土なのだから、国際的にもこんな主張が通るはずはなく、世界はこれを相手にしてはいない。

だが、「無理が通れば道理が引っ込む」を地《じ》で行く、中国の強引な外交政策を看過《かんか》しては決していけない。習近平政権は、間違いなく非合法な手法を積み重ね、違法状態を既成事実化するのは目に見えている。

同盟国アメリカは、これまでもバラク・オバマ大統領、オバマ政権下でのヒラリー・クリントン国務長官、トランプ大統領、トランプ政権下でのレックス・ティラーソン国務長官、ジェームズ・マティス国防長官、そして2020年11月、菅首相との電話会談におけるバイデン大統領に至るまで、いずれもこう述べてきた。

「沖縄県・尖閣諸島は日米安保条約第5条の適用対象である」

だが、盛んに報道されているように、中国公船による尖閣周辺の日本領海内侵入と日本の接続水域内航行はやむどころか、ますます増加している。アメリカ側の発言が「空手形」と言うつもりはないが、すべては、日本側の毅然とした態度にかかっていることは、火を見るよりも明らかなのだ。

一帯一路とAIIBが生み出す「債務のワナ」と「中華帝国の偉大な復権」

中国のアジア支配の〝要《かなめ》〟といわれる、AIIBの秘められた思惑についても記しておこう。

2015年に発足したAIIBは、英仏独などの欧州主要国を含むアジアを中心とした57カ国が創設メンバーとして名を連ね、中国を軸とする新たな世界経済秩序を構築し、従来の国際金融システムに取って代わろうとするものである。

当初は「二流の国際銀行」との位置づけだったが、イギリスが参加したことで状況が一変。2020年までの参加国の拠出金の合計総額8兆ドルを目標金額として、アジアの新興国に投資する計画を立てるに至った。

鉄道、道路、発電所などのインフラ設備投資がメインで、この莫大な資金需要を目当てに各国は、われもわれもと名乗りを上げたのである。

この背景にあるものは、実は10年以上も前、2008年に発生した「リーマン・ショック」だ。

当時、世界経済がガタガタになり、中国の対外貿易は急減。中国経済への打撃は計り知れないとした当時の習近平副主席は、途上国へのインフラ投資を中国主導で行い、数年後の資金回収を図ろうとしたのだ。AIIBを利用して減速著《いちじる》しい中国経済を立て直そうとするもので、どう見ても、自国中心の私利私欲から生まれたものといえよう。

習近平はAIIB設立に先立つ2013年、インドネシアでの講演でAIIB構想を述べた後、もうひとつの目的にも言及していた。

「東アジア地域は古来、『海のシルクロード』の重要な構成員だった。中国と共同で21世紀の『海のシルクロード』を建設しよう」

これは、事実上、中国の版図拡大につながるもの。つまり、AIIBと海のシルクロードというふたつの構想は、表裏一体の膨張戦略なのだ。

さらに同年、習近平はカザフスタンを訪れてナザルバエフ大統領と会談。「カザフスタンは西安（かつての唐の都、長安）を起点とするシルクロードと深い関係にある」と述べ、シルクロード上に位置する多くの国々のインフラ開発を目的とした「シルクロード経済ベルト構想」まで打ち出したのである。

これらが、2014年秋のアジア太平洋経済協力会議（APEC）の席上での「一帯一路」構想の発表につながるわけだ。

「一帯一路」は、アジア・中央アジアだけでなく、中東・アフリカまでのインフラ開発を目指すという構想である。清朝時代の最大版図を意識した、現代版の宗主権をも想定したものとされている。端的に言えば、「すべての道は北京に通じる」という、中華帝国主義の復活なのだ。

ＡＩＩＢの建前としては、途上国は開発資金を獲得でき、出資した先進国も経済的利益を得られるということである。しかし現実は、中国の「いいとこ取り」「一人勝ち」に終わる可能性が高いだろう。

なぜなら、ＡＤＢ（アジア開発銀行）などとは違い、組織運営の効率化を理由に12名の理事を本部の北京に常駐させておらず、しかも単独拒否権も与えていない。そのため、各国の負担金がどの国のどのようなインフラ投資に使われるか、すべて中国人総裁の専決事項となっているのだ。

総裁は元中国財政部次官の金立群《きんりつぐん》で、当然ながら中国共産党員であり、重要事項は党中央委員会におうかがいを立て、それを党政治局が決定する、という形になる。

つまりは、最高指導者の習近平国家主席が最終的な権限を持っているわけで、中国に有利と判断されたプロジェクトだけが実行されることになろう。

周辺諸国は中国マネーに縛られるのみならず、近い将来、軍事的、安全保障的に中国に呑み込まれる恐れがある。いや、すでに「債務のワナ」にかかってしまった国も出てきている。

その代表的な国がスリランカだ。

スリランカは、中国から融資を受け大規模なハンバントタ港を建設したものの、借入金の返済に行き詰まってしまう。その結果、中国の国有企業に港の運営権を99年間引き渡さざるをえなくなってしまったのだ。

アメリカの研究機関「世界開発センター」（CGD）が、2018年3月に発表した報告書によると、ラオス、モンゴル、キルギス、タジキスタン、パキスタン、モルディブ、モンテネグロ、ジブチの8カ国が、一帯一路に端を発する債務問題を抱えているという。

さらに2021年、コロナ禍で財政状況が悪化したバヌアツやクック諸島といった、中国から遠く離れた太平洋島しょ国も、AIIBに頼り始めていると報じられた。

これを見ればおわかりのとおり、中国の対外拡張は着々と進められている。そして、AIIBも一帯一路も、習近平が提唱する「中華帝国の偉大な復権」の道具にすぎないということもまた、理解しなければならないだろう。

常識の通用しない隣国に対し、スパイ防止法すらない日本の悲劇

1991年に旧ソ連が崩壊し、「冷戦」という世界を二分した対立軸が消え去ったため、先進各国は共存共栄のために新たな国際ルールを作成した。

それによって、地図上の国境線がなくなり、ヒト、モノ、カネの移動を自由にするというグローバリズムが一気に広がった。

この潮流にまんまとうまく乗ったのが、中国である。

文化大革命の混乱により、中国経済は後進国の域にも達しない疲弊ぶりだったが、外貨を積極的に導入する改革開放に舵《かじ》を切った鄧小平の政策は、グローバリズムの恩恵を最大限に受けて飛躍的な経済成長を遂げる。

とはいえ、共産党の一党独裁国家であり、個人の人権などないに等しい中国は、民主主義、自由主義の先進諸国群とは、そもそも国の形がまるで異なる、異様な国だ。

その異様さにあえて目をつぶり、経済発展の恩恵を相互に受ける利点を優先させた西

欧諸国は、こう期待していた。

中国は経済成長を続ける過程で、豊かになった国民が必然的に民主主義を求めるようになり、やがては民主国家に脱皮するだろう、と。

2001年に世界貿易機関（WTO）への加盟を許し、2015年、国際通貨基金（IMF）のSDR（特別引き出し権）の構成通貨入りを人民元に認めて、人民元が国際通貨の仲間入りすることを容認したのも、そのためだ。

しかし、期待は裏切られ、習近平政権になってからは、その無法ぶりに拍車がかかっている。

習近平個人の神格化、言論統制や監視社会の強化、少数民族への弾圧など、独裁国家さながらの先祖返りぶりといえよう。

先進諸国の予想を裏切り、あろうことか、国家の潤沢な予算を背景とした国有企業が、無計画な過剰生産とダンピングを繰り返し、国際市場を混乱させた。さらには海外企業の買収や産業スパイによって独自技術を吸い上げるという破壊行為を、日常的に行うようになった。つまり、甘い顔をしてあげていた西欧諸国は、恩を仇で返された形となったのだ。

「近代国家としての常識が通用しない国」――これが、世界が遅ればせながらようやく気づいた、中国の疑いようのない真の姿である。

２０１８年から始まった米中貿易戦争は、世界経済のルールを無視する中国の身勝手なやり方が、ビジネスのみならず、アメリカの安全保障をも脅かすまでに至ったことが原因だ。

中国の通信大手ファーウェイ（華為技術）やＺＴＥ（中興通訊）は、通信情報を国家に漏洩《ろうえい》している疑惑が濃厚で、アメリカ政府は自国市場からこれらの企業を排除することに躍起になっている。

華僑が多いオーストラリアやマレーシアなどの国では、中国政府と通じたスパイ活動や世論操作が横行し、ひいては、工作員を地方議会に送り込むといった露骨なやり口が問題視されている。

また現在、中国共産党は世界各地の大学内に、「孔子学院」という名の教育機関を設置している。これは学院とは名ばかりで、その目的は中国に都合のいいプロパガンダを浸透させるとともに、各国の最新研究を盗むスパイ機関だとされている。アメリカでは

「孔子学院」の閉鎖を命じる大学が続出しているのが現状なのだ。

残念ながら、日本でも各地に「孔子学院」が設立されている。また、日本企業にもぐりこんだ産業スパイや、近年なら企業に対するハッキング行為など、有形無形のさまざまなやり方で日本の先端技術が盗まれているのは、もはや周知の事実だろう。

だが、いまだにこの国にはスパイ防止法すらない。そうこうしているあいだにも、2021年3月には対話アプリ「LINE」の個人情報が中国からアクセス可能になっていたことが発覚。また同月、三菱電機の中国の子会社に何者かが不正アクセスし、取引先の口座情報などが流出していたことも判明した。

さらに4月、2016年から17年にかけ、宇宙航空研究開発機構（JAXA）をはじめ、国内約200の企業や研究機関へサイバー攻撃を行った疑いで、30代のシステムエンジニアで、かつ中国共産党員だった男が書類送検された。

このような例は枚挙にいとまがない。サイバー空間も含めて自国をどう守るべきなのか、早急な対策が必要なのは、もはや自明の理であろう。

まさに「他山の石」とすべき風前の灯火となった香港の自由

強制退去も連行も自由自在、海の上に勝手に線を引く「中国海警法」

ここまで説明してきたように、中国が、しばしば国際ルールを無視する行動に出て、世界から顰蹙《ひんしゅく》を買っているのは周知の事実である。

国際ルールを明文化したものが国際法だ。これまで国際社会がしっかりと守ってきたそうしたルールを、中国がいとも簡単に破っている一例を挙げてみよう。

海に関する国際法は、1994年に発効した「海の憲法」と呼ばれる国際海洋法条約である。日中両国を含む168カ国が批准している。領海（海岸線から約22キロメートル）、接続水域（同約44キロメートル）、排他的経済水域（EEZ、同約370キロメートル）を設定し、その先を公海としている。

当然ながら、領土に近い海ほど沿岸国の権限は強くなり、自国領海内に侵入してきた外国船に対し、必要な措置をとることが認められている。接続水域では密入国や密輸の取り締まりができる。

ところが、2021年2月、世界を驚かせる「中国海警法」という法律が中国で施行された。

何が驚きかというと、この法律には、まず領海や接続水域といった区分そのものがない。そのうえで、「管轄水域」という独自の用語を使い、海上に勝手に〝線〟を引き、その内側で中国に脅威を与えたとされる外国船に対して、強制退去や強制連行の措置がとれる、としているのだ。要するに、国際法からの一方的な逸脱を、公然と国内法で宣言したのである。

この法律では、海の安全保障を、中央軍事委員会の指揮下にある海警局が担うことが明文化されている。保安や税関などの海上業務も、軍の管轄下に置かれた。

尖閣諸島に海警局公船の乗組員が突如大挙して上陸することも、法の下では可能となったと考えられる。その結果、武力衝突が誘発されるとすれば、おそらくそれこそが中国の思うつぼとなるのだ。この法律によって、日本が難しい立場に立つことになったことはまず間違いないだろう。

中国は、尖閣諸島周辺での海上パトロールを常態化させ、威嚇《いかく》目的で公船の近代化、大型化を進めている。日本も巡視船の増強を図ってはいるものの、残念ながら中国のペースには及ばないのが実状である。

従来から中国は、他国の排他的経済水域内に無断で観測船や調査船、さらに軍艦までも侵犯させてきた。

だが、この海警法によって、海上に引かれた国際ルール上の線そのものを消し去ってしまったのだ。これで、思うがままの行動を抑制するものがなくなったということになろう。

国際ルール無視を加速させる、100年以上にわたる被害者意識

しかも、先に挙げたような強引なルール変更は海だけにとどまらない。

中国は「地上、上空、宇宙は切り離しができない総合体で、自国の上空に広がる空間は宇宙に及ぶ」と、これまた勝手な解釈を打ち出している。国際ルールでは、宇宙はいかなる国家にも属さないので、こんな主張は通るはずがない。

さらに厄介なことに、通常、国際紛争が生じた場合、国際社会は国際司法裁判所や国際海洋法裁判所に訴え出るが、中国の基本姿勢は、紛争に際しての国際機関の関与そのものを否定し、国際裁判所の判決も一切受け入れないとするものだ。悔《くや》しかったら武力でかかってこい、ということなのだろう。

国際ルールを無視する領域はとどまることを知らず、ディズニーランドをパクったテーマパークを作ったり、日本のサンリオ社の人気キャラクター「ハローキティ」のテー

マパークを無断でオープンしたりするのは、まだ序の口。

自動車やオートバイ、電器製品、精密機器、ハイテク製品、名画などの他に商標銘柄など、中国はコピー商品のオンパレード市場だ。これらすべて、ノウハウやライセンス供与にともなう高額な料金を踏み倒しての悪行である。

「SONY」ならぬ「SQNY」のネームをつけた家電商品が白昼堂々と販売されているのを見ると、中国の領土内だけは著作権、商標権、ライセンス権などという、国際条約で認められている権利の一切が存在しないかのように錯覚してしまう。

他国のこれらの権利を侵して製作した商品を、「メイド・イン・チャイナ」の刻印とともにアフリカなどの発展途上国に輸出するのだから、国を挙げての犯罪国家と言わざるをえない。

なぜ、中国が国際ルールを無視してはばからないかというと、「現在の国際的法律や条約は欧米諸国が定めたものなので、西側諸国のみに有利で、中国の利益にはならない」と考えているからだ。「19世紀以降100年以上にわたって、中国は列強諸国に主権を侵害されてきた」という、勝手な歴史解釈ゆえの理屈である。

しかし考えてみれば、漢民族自身が4000年にわたって周辺の異民族を侵略して領土を広げてきたのだから、わずか100年の歴史を被害者として強調するのは、まったくもって腑《ふ》に落ちない。

対外的には国際法無視。国内においては法治より人治。法の下の平等という考えはいまだになく、確固とした三権分立もなく、共産党の無謬《むびゅう》の指導に従えば、すべてがうまくいくと無理やり信じこませているのが、現在の中国なのだ。

これまで国際社会や外国企業が徹底した制裁措置を講じてこなかったのは、14億という人民の購買力と廉価な労働賃金に頼らざるをえなかったからだ。だが、「もう我慢できない」と、アメリカを筆頭に声を上げ始めたことは、今後の世界的な対中路線の軌道修正に、一条の光が見えてきたと言えるだろう。

天安門事件の2年前に中国が予告していた、香港動乱に対する人民解放軍の出動

長江（揚子江）、黄河に次いで、中国の大地を流れる3番目に長い河・珠江《しゅこう》は、河口部分が巨大なデルタ（三角州）となっている。いわゆる「珠江デルタ」だ。その広がり

尽くした河口の東端にあるのが香港、西端にあるのがマカオである。

香港とマカオは、巨大河川のデルタの両端にあるふたつの都市ということから、南米のラプラタ川の河口の両端に位置するブエノスアイレス（アルゼンチン）とモンテビデオ（ウルグアイ）の関係に似ているといえるだろう。

その珠江デルタの喉くびに位置するのが巨大都市、広州。そこから南下して香港に近づききった場所にあるのが深圳。そして深圳からは、目の前の川を越えればもう香港の「新界《しんかい》」（ニューテリトリー）となる。

香港の面積の9割は新界が占め、新界から南へ向かうと下町と商業街が混在する九龍（カオルーン）がある。そして、その南端のビクトリアハーバーを渡った海の先が香港島となる。

水深が深く、入り組んだ海岸線を持つこのエリアは、古来海賊の隠れ家として利用されてきた。この湾を天然の良港と見たイギリス人が、アヘン戦争の勝利によって清朝から事実上強奪したことで、香港の歴史が始まる。1842年のことだ。

実はアヘン戦争後に結ばれた南京条約で割譲されたのは、現在、金融ビジネス街となっている中環（セントラル）や、商業地区の銅鑼《どら》湾（コーズウェイベイ）がある香港島だけだった。1860年のアロー号事件後の北京条約で割譲されたのが、大陸の先端部分の九龍となる。

そして、1898年の新界租借条約で、イギリスは99年の期限つきで新界を手に入れたのだ。

ここで、疑問に思われた読者もいるかもしれない。

中国への香港返還がなされた1997年は、新界租借条約の期限（99年）に当たる年だった。

ということは、法律上は返還には九龍や香港島は含まれず、新界だけの返還となるはず。ところが、鄧小平は断固として「どのような条件でわれわれのものにするか、私たちが決めることで、イギリスの発言権はない」と強く主張し、強引に事を進めたのだ。

実際、返還当時、新界と九龍、香港島は完全に一体の経済圏となっていたので、分離返還は不可能だったとはいえ、鄧小平の辣腕《らつわん》が最大限に発揮された一幕だったと言えるだろう。

このとき、割譲に際して、香港の将来をひそかに心配していた人物がいた。ほかならぬ鄧小平の交渉相手、当時のイギリス首相マーガレット・サッチャーだ。

彼女が鄧小平に抱いた懸念は、2021年になってイギリスの外交文書が公開されたことで明らかになった。

「中国への返還を実現して、今の香港の状況は今後も保証されるのだろうか。香港の未来を守るという中国の言い分を信じてもいいのだろうか」

このようにサッチャーが強い不安に駆られたことが外交文書に記録されており、これをイギリスのメディア各社が報じた。

もっとも、サッチャーの懸念には裏づけがあった。鄧小平は、返還前の1987年に、香港基本法起草委員会の香港側メンバーと面会した際に、こう言い放っていたのだ。

「もし1997年の返還後、香港で中国共産党を批判することがあっても、私たちはこれを認めるだろう。しかし、もしその主張を行動に訴えることがあり、香港が民主の旗の下に大陸に反対する基地になった場合、どうするか。

その場合は、関与しないわけにはいかない。介入といっても、最初は香港の行政機関が関与するもので、大陸の香港駐留軍が出動するわけではない。動乱が発生したときには、駐留軍が出動する。介入しないといけない」

ここで言及されている「動乱」は、図らずもこの発言から2年後の1989年、中央政府のお膝元の天安門広場で現実に起きてしまった。だが、人民解放軍が初めて自国の漢民族に銃を突きつけるという一大事の2年も前にすでに、「動乱の際には人民解放軍をもって毅然として対峙する」という異常事態が香港でも起きるかもしれないと、警告していたのである。

鄧小平は、世紀の式典となった1997年7月1日の香港返還を見届けることなく、その5カ月前にこの世を去った。しかしながら、彼が返還後の香港統治について発言した事実と、その意志は、今も引き継がれているのである。

「高度な自治」の最後の一撃となる、雨傘革命から続く大陸政府への抗議デモ

1984年に中国とイギリスは共同声明を出し、「香港は1997年7月1日以降、特別行政府として、外交と国防を除く高度の自治を50年間保持する」と、国際社会に約

束した。

返還から50年後というと、2047年である。そのとき、香港がどのような社会になっているのか。それは誰にもわからない。

そもそもサッチャー同様、世界中の人々は決して楽観視していなかったが、ここへきて急速に、「高度の自治」が風前の灯火《ともしび》となってきている。

2014年に発生した大陸政府への抗議デモは、傘を抗議の象徴として皆が大通りを歩いたために「雨傘革命」と呼ばれた。これが2019年に規模を拡大して再発し、世界の注目を再び集めた。香港行政長官選挙の制度を変更し、実質的には民主派が立候補できないようにすることへの抗議である。中国によって粛々《しゅくしゅく》と進められている、香港の「中国化」への恐怖が引き起こしたデモといえるだろう。

だが翌2020年6月、危惧されたとおり、全国人民代表大会は香港に対して、中国と同様に国家安全維持法を適用することを決定、本土との一体化を強要してくることとなる。

1997年に中国に返還された際、香港は、中国における例外的なケースとして「一国二制度」に基づく「高度な自治」という方針によって、独自の行政権を有した。

香港は長いあいだ、大陸とは政治、経済ともに大きく異なる環境下にあったのみならず、その差異が中国の経済的繁栄に多大な貢献を果たしてきた。

イギリス統治下における自由な経済政策、そして世界有数の貿易中継地として為替市場の国際化が進み、とりわけ70年代から国際金融センターとして急成長。そのため規制が厳しい大陸中国は、香港をいわば「西側世界への玄関口」として利用し、投資や貿易決済、預金、そして一部の富裕層や共産党幹部によるマネーロンダリングなど、さまざまな〝金融サービス〟の恩恵をこうむってきたのである。

その状況をいきなり壊しても誰も喜ばない。けれども返還された以上は、あくまで中国の一部でなくてはならない。

そこで考え出されたのが一国二制度なのだ。香港は中国という「一国」の内側にありながら、制度・体制はしばらくは異《こと》にするという、一種の妥協策だ。

その滑り出しは順調だった。WTOやIMFに国家扱いで加盟が許され、国連が認めた特別行政区として、オリンピックにも香港チームで参加する権利もあったのだ。

返還に先立つ7年前の1990年に、憲法に当たる香港基本法が制定され、普通選挙で全議員を選ぶことが、近い将来の政治目標として掲げられた。

1992年に最後の香港総督としてクリス・パッテンが着任。97年に予定されている返還を前に民主化を急速に進め、直接選挙で選ぶ議員数を増やし、有権者数も拡大したのである。

選挙制度の〝改悪〟と恐怖の国安法で、崩壊寸前となった香港の民主派勢力

返還に際して約束した「高度な自治」は、一国二制度によって守られるはずだった。だが、ここ数年、中国はさまざまな形で現行制度に介入。中国側に都合のいいように改変し、一国二制度の形骸化を図ってきている。

現在、香港の行政長官は、各業界団体などから集まった選挙委員会によって選ばれる。委員会には大陸とビジネス関係にある親中派が多いうえ、立候補には中国政府の許可が必要ということになっている。立法会議員（香港の国会議員）の定数70のうち直接選挙

で選ばれるのは35人で、残りは各業界団体内の選挙で選出される。

地方議員である区議会議員は、全479議席のうち452議席が直接選挙で選ばれるため、民意が反映されやすいといわれる。事実、2019年11月の選挙では、全議席の85％に当たる388議席を民主派が占めた。

こうした流れのなかで、行政長官選挙や立法会議員選挙が行われれば、民主派の勝利は確実と見られることから、中国はさらなる強権発動に踏み切ろうとしたのだ。

さらに、2021年に入ってからの香港の選挙制度改変の力点は、中国政府が「反中国的」と見なした人物に対し、立候補を許さないことにある。新設される「資格審査委員会」は、中国共産党の指導を尊重する人しか立候補させず、改変案には、その決定には異議申し立てができないと明記されているのだ。

新しい制度の下で、香港の民主派政党が取りうる唯一の選択肢は、中央政権の求めに応じて忠誠を誓い、体制批判をしない穏健な野党に徹することしかない。中国政府はあえて「香港にも民主派はいる」ということを国際社会にアピールでき、かえって都合がいいということになろう。

仮に民主派の候補が当選しても、２０２０年に施行された「香港国家安全維持法」（国安法）により、法案に反対するなどの行為が「非愛国的」とされれば、議員資格を剝奪される恐れもある。

実際、２０２１年2月、民主派の代表である民主党の有力元議員ら47人が一斉に起訴され、民主活動を続けてきた主要メンバーの大半はすでに収監されている。そのなかには、高校生時代から雨傘革命をリードし、民主派の「学民思潮」「香港衆志（デモシスト）」などの中心メンバーとして民主化活動の先頭に立っていた黄之鋒《こうしほう》（ジョシュア・ウォン）氏も含まれている。

全人代で選挙制度改変案が承認されたのが２０２１年3月11日。新型コロナの影響を理由に延期された立法会選挙が２０２１年12月19日に、さらに5年に一度の香港行政長官選挙は翌２０２２年3月27日に行われる予定である。だが、保釈申請のために民主派政党を脱退する人も相次いでいる様子で、来る選挙で民主派の立候補者がいなくなることも現実化してきている。

最後の香港総督だったパッテンは、在英ＮＧＯ「香港ウォッチ」の場を借りて、選挙制度改変について次のような声明を発表した。

「香港の自由と、法の支配の下での民主主義の拡大への願望を抹消する、最大の一歩だ。これは、一国二制度の誓約を完全に破壊するもので、中国共産党は信頼することができないということを、改めて世界に示したものだ」

香港の民主派は、これまで中国国内において、共産党政権を批判できる、事実上唯一の「野党」だった。だが、選挙制度が変わるということは、反対意見を述べる野党が中国の領内から消えてしまうことを意味している。

つまり、こうした香港ならではの民主政治は、まもなく終わろうとしているといえるのかもしれない。

「政権の安定のためなら、どのようなやり方で制度を変えてもいいのだ」という中国政府の考えが、一国二制度を維持してきた香港を包み込もうとしている。残念ながらサッチャー元首相の不安は適中した、ということだろう。

２０２０年の国安法によって「自由」を奪われた香港は、新しい選挙制度の仕組みの下で、「民主」も失おうとしているのだ。

普通選挙の可能性を完全に否定した、習近平流「一国二制度」への変貌

２０１９年、香港政府は立法会に１本の条例案を提出した。その名も「逃亡犯条例」改正案である。

これは、香港が犯罪人引き渡し協定を締結していない国・地域の要請に基づいて、容疑者の引き渡しを可能とするもの。一見何の問題もなさそうに思えるが、実は香港は、中国本土やマカオ、台湾とは犯罪人引き渡し協定を結んでいない。

ところが、この改正案が立法化されると、たとえば香港で活動する反中国派の人々が、適当な容疑をでっち上げられて、中国本土へと引き渡されるという、悪夢のような事態が起こりかねないのだ。

香港政府の林鄭月《りんていげつ》娥《が》行政長官は「法の抜け穴をふさぐため」と、改正案の正当性を主

張したが、条例改正により「一国二制度」の根幹が事実上崩壊すると民主派は懸念した。そこで、雨傘革命以来の大規模なデモへと打って出たのだ。6月のデモには、100万人以上の市民が参加したという。

そして結局、香港政府は9月、逃亡犯条例改正案の撤回を正式表明。香港の民主主義が、土壇場で勝利を収めたのだ。

ところが、話はここでは終わらない。

2021年3月16日、香港の裁判所は、逃亡犯条例改正案に反対したデモを扇動したとして、中国共産党に批判的な香港紙『蘋果日報（アップル・デイリー）』の創業者として知られる黎智英《れいちえい》（ジミー・ライ）氏に、禁錮刑の実刑判決を下したのである。

罰金刑ではなく実刑となったことが、世界に衝撃を与えた。従来、香港では集会（デモ）を開く権利が尊重されてきたからだ。

2019年8月のデモは無許可ではあったものの、参加者は終始、平和的なデモに徹し、中国当局と大きな衝突はなかった。

このように、習近平が権力を完全掌握した2012年以来、中国の香港政策は明らかに変調を来している。2014年の『白書：「一国二制度」の香港 特別行政区における実践』では「高度な自治」と矛盾する「全面的統治権」を初めて表明し、同年の全人代では、将来の香港の普通選挙の可能性を否定した。

2019年の逃亡犯条例の改正では、半年以上に及ぶ抗議デモをものともせず、国安法の導入準備に走った。

習近平政権は、香港の力ずくの本土帰属を急いでいる。鄧小平流の一国二制度がなきものにされて、習近平流の形だけ新しく、中身は空洞化、空疎化した一国二制度が生まれようとしているのだ。

元来中国は、「香港が中国に経済的利益をもたらせてくれれば、資本主義でも社会主義でもいっこうにかまわない」というのが、返還後の基本姿勢だった。

そこには、「白い猫でも黒い猫でも、ネズミを取るのがいい猫だ」と語った、鄧小平の現実主義があった。活況を呈する香港経済を中国が末永く活用すること。これが中国の願いだった。さらには、鄧小平が唱えた「中国の特色ある社会主義」のひとつのモデルが、香港だったのである。

天安門事件から3年後の1992年、中国南部を視察しながら重要な声明を次々と発していった、鄧小平の有名な「南巡講話《なんじゅん》」で、彼はこう発言していた。
「君たちが、深圳を『社会主義の香港』に変えていくことはいいことだ」

革命後、毛沢東は香港の特殊な地位を活用すべく、「長期打算、充分利用」という「八字方針」で香港政策を表現した。すぐには取り戻さず、長きにわたって利用する、ということである。

今の中国には、「香港が本土と同化することは長年の悲願であった」と主張する人が多い。だが、これも歴史をきちんとたどると決してそんなことはなかったことがわかる。先の「八字方針」のように、むしろ香港と「うまくやっていく」ことこそが、建国以来の悲願であったのだ。

もっと言ってしまえば、1949年10月、新中国建国とともに人民解放軍が、香港との境にある深圳河を越えさえすれば「香港解放」が実現できた。だが、河を渡れという南下の指示は、ついに出ることはなかったのである。

香港の将来への暗い予感は、このところますます現実味を帯びている。

鄧小平発言に見られるように、一国二制度下の香港にあっても、条件さえ整えば中国は軍事的な介入もできる。

人民解放軍の駐香港部隊約6000人は、返還後も駐留を続けている。市民との交流はなく、平時は忘れられた存在だが、「香港特別行政府駐軍法」なる中国の法律によれば、香港政府が中国政府に対して出動を求めたときは、いつでも出動が可能である。

香港の憲法ともいえる香港基本法にも、「香港政府は必要に応じて中央人民政府に対して、社会治安の維持や災害救助に駐留軍の協力を要請できる」と記されている。

無論、本土の直接指示による動員も可能だ。

駐軍法では「戦争状態」が宣言されるか、国家の統一や安全へ危害が及ぶような動乱が生じたとき、中央政府は駐留軍に対して「全国的な法律に規定された職務の遂行」を指示できるとされている。

「全国的な法律による職務の遂行」が実際に起これば、一国二制度が瞬時にして崩壊することは目に見えている。

日々、大陸中国によって自由を奪われつつある香港。その姿を見て見ぬふりをしているうちに、台湾、日本、そして世界の神経中枢にまで、中国共産党の〝害毒〟がいつのまにか回ってしまう……。

そんな危険性が現実に強まる一方であることを、われわれ日本人もしっかりと認識しなければならないのである。

終章

追悼
李登輝元台湾総統との特別対談
「台湾の選択、日本の将来」

2020年7月30日――。台湾の民主化、経済発展にこれ以上ないほど大きな力を発揮した偉大な政治家がこの世を去った。

李登輝《りとうき》元台湾総統である。

実は、私は何度か李登輝総統にお会いしている。ここに収録した特別対談（拙著『中国 地球人類の難題』掲載分を適宜修正）は、まさに前回の北京オリンピックの前年、2007年2月に台湾で行われたものだ。中心テーマは当然のことながら、押し寄せる中国の圧力に対し、日本、そして台湾はどうすべきかというものとなった。

しかし、もちろん話はそれだけにとどまらない。当時、日本は第1次安倍政権、一方で台湾は民進党の陳水扁《ちんすいへん》政権の末期にあたる時期。それぞれ、内政、外交ともにさまざまな問題を抱えていた。

では、リーダー中のリーダーとして李登輝氏は、そうした問題にどのような答えを提示したのか。内容として多少古い部分もあるが、政治や経済のポイントを見抜く卓見、未来のヒントとなる発想力といった「哲人政治家」李登輝氏ならではの本質的な考え方は、何ら色あせてはいない。日本、台湾、中国との今後を読み解く際の土台となると考え、今回、ここに改めて掲載した次第である。

井沢　台湾に着いて新聞を見ましたら、「李登輝が180度転向」という記事があり、李登輝支持派の方々が「裏切られた」とショックを受けている様子が載っていました。真相はどうなんですか？

李登輝　ことの発端は週刊誌『壹週刊』の記事です。台湾で一番売れている雑誌ですが、要するに雑誌を売るために非常にセンセーショナルなタイトルをつけた。記事の中身を読めば、かなりニュアンスが違うことがわかります。

井沢　「台湾独立を主張したことはない」「中国資本を受け入れろ」「中国大陸に行ってみたい」といった刺激的な見出しから受ける印象とは、内容が異なるということですね。

李登輝　かなり違います。この3つの問題に関して背景にあるのは、台湾の民主化が非常に後退していることに対する危惧です。同時に、経済が停滞し貧富の格差が拡大してきていることへの心配もあります。

井沢　高所得者と低所得者の所得格差が6倍以上になっていると聞いています。

李登輝　昔は2~3倍だったのが、景気が冷え込んで失業者が増え、2003年のSARS（重症急性呼吸器症候群）禍の頃と同レベルにまで落ち込んだ。こういう問題が起きたのは、経済政策のミステイクが原因で、今、一番大事なのはそれをどう修正するかなんです。

ところが、政府民進党と国民党は台湾独立というテーマをめぐって権力闘争を繰り広げるばかりで、国民生活を顧《かえり》みようとしない。だから、台湾独立を掲げた無意味な権力闘争をやめろと言ったのです。

井沢　今は国民生活を考えて経済政策に専念するべきと。

李登輝　そう。民進党内部でも権力闘争をやっていて、来年度の政府予算も通っていない状態で、これでは公共事業もできない。大学の学費や学校の給食費を払えない家庭が増え、農業従事者の収入も減っている。私が総統だった時代の失業率は2・5％程度だったが、2002年には5・3％まで上がった。統計数字では失業率は下がっているというが、どうも実情を表していない。台湾独立か中国との統一かで争っている場合じゃないのです。

そもそも私は、台湾はすでにひとつの民主的な独立国家であるという立場に立っています。だから、今さら「台湾独立」を叫ぶ必要はない。今の台湾は独立した民主国家として要件が不足しているから、それをどう補充していくかを考えればいいのです。

井沢　そのお話の言葉尻をとらえて、「台湾独立などと言っていない」という見出しにつながったということですね。ただ、国名を中華民国から台湾に改める「正名」（名を正す）という問題がありますよね？

李登輝　そうです。すでに国民の大多数が、この（中華民国という）名前はよくないと言っています。国連からも追い出されてしまったし、この名前を変えましょうと。そういうように一歩ずつ変えていけばいい。

憲法の問題もそうです。中華民国の憲法を、現在の台湾に向いた憲法に変えようと。日本だって、マッカーサー司令部が手渡した英文の憲法を日本語に直して、日本の憲法にしている。日本から見れば、この憲法は子どものときに作ったもの。今、もう大人になって使えないから変えますよと言えばいい。

井沢　憲法改正というより、新憲法の制定ですよね。

李登輝　そういうことです。ところが、その「制憲」ができない状態になっている。2005年に立法院（台湾の国会）の憲法修正案会議で、立法委員の4分の3以上の出席に3分の2以上の賛成で提起されたうえに、住民投票で住民数の過半数の賛成を得ないと憲法修正ができないとする憲法修正案が可決され、不足する要件を補充したくても現実的には憲法修正が難しくなってしまったのです。汚職や権力闘争もはびこり、台湾の民主化は後退していると言わざるをえない。

中国投資の一方通行で台湾国内はタンクがカラ

井沢　では、第二の「中国資本を受け入れろ」とは、どういう意味でしょう。

李登輝　これは純粋に台湾経済の不況にかかわる問題です。90年代に台湾では人件費が高騰し労働力が不足していたので、中国大陸で商売をやりたいという人がどんどん出てきた。その頃は、「匆忙未必真快」（急がば回れ）ということで、5000万ドル以上の投資については、有用な公共投資、科学技術が流出しないよう政府が審査していたのです。ところが、2000年以後の今の政府になったら、中国大陸への投資の積極的開放をやった。

7年目の今、どうなったかというと、中国大陸における外国投資の半分以上が台湾ですよ。総投資額は約2800億ドルで、これは台湾のGNP（国民総生産）の約8割に相当する。しかし、経済というのはお金が出て行くばかりじゃダメで、戻ってこないといけないが、今は台湾から中国の一方通行になっている。タンクのなかの水が流れ出てカラになっている状態。

一部の電子産業が活況を呈しているだけで、ほとんどの産業が空洞化し、失業者が増え、人民が生活に困窮する事態になった。台湾はかつて「アジアの4匹の小龍」のなかでもトップにいたのです。

井沢　4匹の小龍というのは、日本を龍として、それに続く台湾、韓国、香港、シンガポールの4つの小龍ですね。

李登輝　昔は台湾は韓国より上だったんです。ところが、この7年間で台湾は4カ国のなかで一番下にまで落ちた。その大きな原因が中国投資です。なぜ台湾人が中国大陸に投資して、儲けたお金を台湾に持って帰れないのか。この仕組みを変える必要がある。中国大陸でも経済が伸びてきたのだから、中国人が台湾に来て投資してもいいわけです。一番手近なところでは観光を増やしたらどうかと思うのですが、許さないんだよ、観光[注1]を。観光客が1年間に数百万人も来れば、台湾のさまざまな業界は発展するんですよ。

井沢　中国大陸から台湾へは投資だけでなく、観光もできないのですね。ワン・ウェイをツー・ウェイにしなければならない。だから、「中国資本を受け入れろ」と。

李登輝　そう。海外から資本を入れて産業の育成をやるべき。私は総統になる前、政務委員の任にあったときに、電子産業発展のための奨励政策を作ったのです。たとえば、アメリカや日本に住んでいる台湾人が台湾で投資をしたいというときに、技術と必要な資本の20％を用意できれば、残りの80％を政府が貸し付けるという制度で、台湾の電子産業発展の礎《いしずえ》になった。

井沢　素晴らしいですね。そういった奨励政策をどんどんやるべきだと。

李登輝　そう思います。たとえばＩＣチップの製造に使われる半導体ウェハーは現在主流の８インチから容量の大きい12インチに移行しつつありますが、政府は８インチの古びた技術を中国大陸にもっていって金儲けしようとしている。

　私は反対なんです。台湾には、５年間の免税と５年間の加速償却という制度があり、国内のほとんどの製造設備は償却が終わっていてコストはゼロになっている。それなのになぜ中国大陸で新たに工場を建てなければならないのか。古びた技術でも国内に残しておいたほうがいいんです。

　古い技術を国外へ持ち出すことばかり一所懸命になっている一方で、新しい技術の開発を進めているかというとそうでもない。たとえばテレビは今や液晶やプラズマが主流になりつつあり、青色レーザー関連の技術開発も重要になっています。こういった新技術の開発の奨励政策はほとんどやっていないのです。

井沢　台湾が今、凋落《ちょうらく》しつつあるのは、台湾の現指導部の問題なのか、それとも中国による何らかの謀略に引っかかっているということなのか、どちらですか。

李登輝　台湾指導部の問題、能力の問題です。

井沢　そうですか。もうひとつ、「中国大陸に行ってみたい」と発言された真意については？

李登輝　これはねえ、今の共産党が支配する中国という国に行きたいという意味ではないんです。私は「一生涯のうちに、行ってみたい場所が4カ所ある」と発言しました。そのうちのひとつは、やはり日本。『奥の細道』の行程を歩いてみたい。他は『出エジプト記』[注2]と、孔子のたどった「列国周遊」[注3]の道程、そしてシルクロードを歩きたいのです。

井沢　なるほど、そういう意味なんですね。しかし、こんなふうに発言を歪《ゆが》めて「李登輝180度転向」などと伝える週刊誌の取材をなぜ受けられたのですか？

李登輝　いや、わかっててやっているんです。大部数売れている雑誌にこういう記事が出れば、新聞やテレビが大騒ぎして私のところにやってくるでしょう。そこで今のように、真意はこうだと、政府は経済政策を本気でやれという話をするわけです。こういうのは計算のうちです。

井沢　なるほど、世論を喚起するために逆に利用したんですね。恐れ入りました。

陳水扁政権には期待して裏切られた

李登輝　先ほどの話の続きですが、『出エジプト記』には、エジプトの奴隷になっていたイスラエルの民をモーゼが引き連れて脱出するルートが書かれているので、同じ道、エジプトから紅海を渡りシナイ半島を回ってみたいですね。

井沢　先生は昔、〝台湾のモーゼ〟と呼ばれていましたね。

李登輝　それは周りの人間が言ったことで、自分で言ったことはありません。「台湾でも『出エジプト記』をやらなければならない、奴隷の身に甘んじていてはいけない」と言っただけです。

井沢　モーゼは約束の地に到達する前に亡くなり、ヨシュアが継いで達成します。先生がモーゼなら、陳水扁はヨシュアですか（笑）。

李登輝　いやいや。神様はいろいろなことをモーゼに命じるんですが、モーゼは精神的に弱い部分があった。だから、約束の地カナンに入る前に、神様はモーゼにシナイ山に隠居しなさいと言う。シナイ山の頂上からはカナンの地が見える。見えるのに入ってはいけない。非常につらいことです。

　これはまあ、ある段階まで仕事が終われば、次の段階は他の人にやらせるべきだという神様の意志なんだろうね。

井沢　でも、李登輝モーゼが「ちゃんと民主主義をやれよ」とバトンを渡したのに、汚職だの何だのと。結局、中華民族には本当の民主主義の経験がないということが原因なんでしょうか。

李登輝　う～ん。でも、台湾がまだ中国大陸に比べて進んでいるのは、市民社会という考え方が浸透しているところでしょう。市民社会がないところに近代政治や民主主義を持ち込むのは非常に難しい。責任を誰も取らない、法律を守らないでは、どうにもなりません。

　私から見ると、まだ教育が不足しているのかなと。それで李登輝学校[注4]を作ったんです。

われわれ自身の歴史を知る、台湾の内情も知る。自分たち自身に関する認識をまず高めなければ、海外の民主主義のシステムをアレンジして台湾に定着させられませんから。一歩ずつ今の若い人々を教育し直す必要がある。

井沢　先生は[注5]蒋経国《しょうけいこく》から政権を受け継ぎ、その後、中華民族全体で考えたら歴史的に初めて平和裏に政権を交代したわけですね。ある意味で、民主主義とはこういうものだという模範を示されたと思うんですが、後を継いだ若い人間はその意志をくみ取ってくれなかった。陳水扁総統には非常に期待されていましたね。

李登輝　期待してサポートしましたが、裏切られて[注6]汚職問題ばかり起こしている。まだ経験不足なんでしょうか。ときどき、私も少し早すぎたかなと思うことがあります。

井沢　あ、やっぱりそうですか（笑）。

李登輝　しかし、やはり若い世代に譲らないといけないのです。先日、日本の雑誌でも語ったことですが、私が考える指導者の条件は5つあります。第1には、自分なりの信仰を持つこと。私はクリスチャンだから、判断に迷った場合も最終的には「公義の精神」と「愛」という、ふたつを原則に決断をしてきました。

井沢　神を信じない人間は畏《おそ》れを知らないから、権力を握るととんでもないことをする。

李登輝　第2には、司馬遼太郎さんにもお話ししたことですが、「私は権力ではない」と考えること。権力というのは人民が与えたもので、人民が必要なときに借りてきて使い、物事の処理が終わったら返すものです。司馬遼太郎さんは「ちょっと変わった権力理論だな」と思われたようですが、私はそう考えている。

権力というのは恐ろしいもので、どんどん人が寄ってくる。相手の要求を権力でかなえてやれば、お金は入ってくるし、言いなりになるし、すぐに堕落します。だから、絶対にけじめをつけないといけない。

第3には公私の区別をつけること。個人の問題で公に迷惑をかけるようなことがあってはならない。

井沢　陳水扁総統は権力と公私の区別の部分で、しくじったということでしょうか。

李登輝　そうですね。夫人とその親族の金銭スキャンダルの問題では、もう6回目の公判になりますが、病気だの何だの理由をつけて出てこない。総統は刑事案件に顔を出さないとか、司法で処理できないとか、へ理屈をこねていたずらに長引かせている。そんなことをするなら、さっさとけじめをつけるべきだった。

私の父親は県会議員を務めたことがあり、私が総統になると、多くの人々が父を通じて口利きを頼んでくるようになった。そこで父に「お父さんが地元の人に世話になったことはよくわかっています。しかし、彼らの頼みを聞くことはできないので紹介しないでください」とお願いした。父はそれ以来、一切友人を紹介しなくなり、そのおかげで職務をまっとうすることができた。今でも感謝しています。

井沢　素晴らしいお父上ですね。では、指導者の第4の条件とは何でしょう。

李登輝　人が嫌がる仕事、誰もやりたくないような仕事を喜んでやりなさいと。第5の条件は、自分のカリスマに注意を払うな、誠心誠意、人民に相対しろということ。カリスマを持つ指導者は楽ですよ。人民に呼びかけたらオーケーと答えてくれる（笑）。しかし、カリスマというのは幻想にすぎず、人々の希望がかなえられないとわかった瞬間崩れ去るんです。

井沢　実態がともなわない幻想だから、消え失せるのも一瞬ということですね。でも、実績を積み上げていくことで、先生もカリスマと思われているような気がしますが。

李登輝　他人がどう思おうと、自分はそういう気持ちを持たない、カリスマを利用しないということです。

井沢　なるほど。その5つの条件を満たす指導者というのはたしかに理想ですが、台湾だけでなく、世界を見渡してもいなくなりましたね。

中国経済の発展を支える「新奴隷制度」

井沢　では、注7胡錦濤《こきんとう》という中国の指導者をどう見ておられますか。あわせて、2008年の北京オリンピック、2010年の上海万博までの大陸情勢の予測をお聞かせください。

李登輝　胡錦濤は江沢民に比べると、妙に落ち着いていて、口数も少ないが、やると言ったら一歩ずつ着実に実行するタイプですね。彼が一番困っているのは地理的な所得格差が広がっていること。これをなんとかしないと共産党自体が危うくなる。どこで暴れ出すかわからなくて、1年間に何万件も農民暴動が起きている。

井沢　解決できますかね。私は難しいと思っていますが。

李登輝　今のところ中国大陸における現在の制度というのは、私が名づけたのですが、「新奴隷制度」で、土地が非常に安いから人民は奴隷に近い状態にあるのです。

井沢　昔のロシアの農奴と貴族みたいになってますね。

李登輝　そう。労働者の賃金も1カ月100ドルぐらい。この状況を天から授かった贈り物のようにとらえ、海外の資本家がどんどん資本と技術を投資している。それが続く限りは中国経済は伸びていく。問題はこれがアメリカにどういう影響を与えたかで、対中貿易が2000億ドルの赤字になっているわけです。

80年代に対日貿易赤字が莫大になっていたときに、アメリカが何をしたか思い出してみればいい。国際金融を牛耳っているアメリカは、円高にしろと言い、1ドル80円まで円が上がった。日本には外貨がどんどん入ってインフレになり、投資先がないから株や土地がどんどん上がった。上がりすぎて緊縮財政をやった途端にバブル崩壊です。

井沢　外資は売り抜けて巨額の富を奪っていきましたし、日本の大企業がアメリカのロックフェラー・センターなどの不動産を買い漁っていましたが、結局、叩き売らなければならなくなりました。

李登輝　全部アメリカに吸い取られた。アメリカ人というのは平気でこういうことをやるんだよ。今、中国大陸に対しては「人民元を引き上げろ」と言ってますね。同じことをやるんじゃないか。

井沢　なるほど。私は別の側面から崩壊を予測していて、中国はモラルで崩壊すると考えている。先ほど先生がおっしゃったように、地理的な所得格差が広がっている。しかし今の中国では都市部から高い税金をとって、地方のインフラ整備をするということができなくなっている。

李登輝　海岸沿いの経済的に潤っている地域は皆、反対します。

井沢　繰り返しになりますが、中国では平和裏に政権交代が行われる伝統がない。そうすると、農民たちの不満が鬱積《うっせき》し、団結して暴発する可能性がある。

李登輝　今のところは、あれだけの軍隊と公安が睨みをきかせていて、警察がインターネットのコントロールまでやっているなかでは、少し長い目で見る必要があるかもしれません。

井沢　もうひとつ、中国の軍事的脅威についてお聞きしたいんですが、中国が行った衛星破壊実験[注8]についてはどうお考えですか。

李登輝　それは中国が世界に誇る、威張るための手段のひとつ。

井沢　国威発揚ですね。

李登輝　われわれはこれだけ持っているぞ、アメリカはやれるのか、衛星を落とすだけのミサイルを撃てるのかと。

井沢　中国が台湾を併合する可能性についてはどう見ていますか？

李登輝　中国の軍事的な台湾対策に対しては、彼らがどういうシナリオを持っているか、それを知らないといけない。たとえば１９９６年に初の総統直接選挙があったとき、中国は台湾海峡にミサイルを撃った。何のために撃ったか。われわれから見ると、あれは台湾をとるためじゃない。驚かすための心理的作戦なんです。これを、われわれは絶えず知っておかなければいけない。

台湾併合のシナリオについては、３つ考えられます。

ひとつは非常に親中的な政府を台湾につくる。事実上の属国にし、１日かそこらで攻め込んで併合を宣言する。

ふたつ目は、アメリカが中国に妥協して、台湾を共同管理しましょうと提案する。中国との戦争を避けられるし、台湾問題も解決できるじゃないかと。

３つ目はどうにもならないので、現状維持。

井沢　日本では今度の総統選挙で、親中派が勝つのか、独立派が勝つのかで、台湾の方向性が変わるんじゃないかという見方をしている人もいますが、その点はどうですか。

李登輝　だから、台湾独立とか中国との統一だとかをテーマにして、選挙や権力闘争をやるなと言っている。やることは他にあるんです。

井沢　一昔前は、北京オリンピック直前に独立宣言してしまえという意見もありましたが。そんなときに軍事侵攻はできないだろうと。

李登輝　ところが、台湾は独立宣言をする必要がないんです。もう独立国家なんだから。独立国家だから、中国との貿易もどんどんやればいい。三通（通信・通航・通商の開放）どころか、メディアも宗教も文化も含めて四通も五通もやればいい。先ほど大陸のインターネット規制の話をしましたが、交流して世界の情報をどんどん持ち込むことが大切。それが大陸中国自身を変えることになる。

井沢　台湾を中国化するのではなく、中国を台湾化するということですね。

安倍総理は中国と対等に碁を打てるのか？

井沢　私は安倍総理と同い歳で、彼の考え方には共感できる部分が多くあります。だから、彼がやろうとしていることはよくわかるのですが、ただ、やり方が上手ではなく、国民の支持率も下がっています。台湾総統として一国のかじ取りをされてきた大先輩としては、安倍総理をどう評価されていますか。

李登輝　私は日本での安倍総理に対する批判には疑問を感じますね。たとえば日本の雑誌には、彼の訪中は間違いだと書いてありました。

井沢　そうですね。「裏切り者」扱いされています。

李登輝　日本がアジアのなかで現在の地位を保つためには、中国という存在を無視するわけにはいかない。顔を出して、何か約束を取りつけてくることが重要なんです。彼は中国に行って「戦略的な信頼できる関係を築きましょう」と言った。こう言われたら胡錦濤は反対できないんですよ。

井沢　そうですね。「いやだ」とは言えません。

李登輝　一般の国民にはなんでもないことのように思えるかもしれませんが、訪問してこういう約束を取りつけることが外交においては大事なことなんです。今まで中国は日本に対していろんな理屈をぶつけてきましたが、それを抑えるためにも必要なことです。

井沢　中国は、首相は靖国神社に参拝するなといった難癖をつけてきます。

李登輝　国のために命を落とした人々を慰霊する施設は必要ですし、首相は一国の指導者として靖国参拝しなくてはいけない。首相が靖国を参拝することに問題があるのだとしたら、法律的に解決すればいいこと。そもそも私は靖国を宗教法人にしたことが間違いだったと思います。

井沢　政教分離の原則を盾に、憲法違反と批判されますからね。

李登輝　靖国神社というのは、明治時代は東京招魂社という名称だったでしょう。これは宗教法人ではなくて国の機関だった。戦後、宗教法人にしたがために、まるで政府と宗教が関係あるかのような言われ方をされる。

井沢　台湾にも、革命や戦争で亡くなった志士や軍人が祀《まつ》られている「忠烈祠《ちゅうれつし》」という施設がありますね。入り口には儀仗兵《ぎじょうへい》が立って護衛しています。あれは国家機関なんですか。

李登輝　もちろんそうです。台湾総統は1年に2回、春季と秋季に礼拝に行きます。日本はそういう部分も含めて、ちゃんとしていく必要はあると思います。

　中国大陸と碁を打つには、布石を打たなくてはいけない。安倍総理がまず中国に足を運んだのは、布石として非常にいい。

井沢　安倍総理の中国訪問を評価されているのですね。

李登輝　彼は非常に考えて物事を進めています。多くの人々は「中国に行かないほうがいい」と言っていたし、実際に行ったら批判されたわけです。しかし、それがわかっていながらあえて行った。

温家宝首相が4月に日本を訪問するでしょう。いろんな話は出るだろうけど、安倍総理は就任してすぐ挨拶に行ったのだから、温家宝は高圧的な態度をとれず、対等な立場で話ができるんです。

井沢 そこまで見越しての中国訪問だったと。

李登輝 私はそう見ます。昔の日本の外務省は、中国大陸が何か文句を言えば、駐日大使のところへ飛んでいってペコペコ頭を下げていた。いったい、何をやってるのかと。

私は日本の官僚や政治家を批判する立場にはないとは思いますが、あえて言わせてもらえば、彼らの頭のなかには個人の出世しかなく、国家という概念がない。国、人民が頭にないから、せっかく必死に勉強して東大出て官僚になったのに、中国人にペコペコするだけ。対等な関係を築くための戦略がない。お互いを尊重して話し合える関係を作るのが外交でしょう。

中国には倫理観なき愛国心しかない

李登輝　もうひとつ、安倍総理は教育基本法の改正に取り組んだ。これも大事なことです。2006年に産経新聞に掲載された「日本の教育と私」のなかでも書いたのですが、昔の日本のエリート教育で重視されていたことがふたつあります。第一に「教養」。自分の専門分野だけでなく、歴史、哲学、芸術、科学技術なども勉強して身につける。第二に重要なのは「愛国心」。政治家になるために必要なのは、国を愛すること、人民を愛することです。それが何より大切で、先ほども言いましたが、国や人民のことを考えないエリートはダメなんです。

井沢　中国ではさかんに愛国教育をやっていますが、自国さえよければいいという歪んだ愛国心につながっている。倫理観なき愛国心と言いますか……。

李登輝　愛国心と倫理観は本来、直結するものです。だから、中国大陸に本当の意味の愛国心なんてない。あるのは愛国主義や民族主義で、こういうのは結局、権力者がする遊び、民衆をあやつる遊びなんです。

井沢　たしかに、中国のエリート層は、庶民のことをまったく考えてませんね。

李登輝　庶民の生活を考えるのではなく、庶民をごまかすことばかり考える。だから、庶民が暴れ出すことを非常に恐れる。中国では、朝廷が武力で討伐されて入れ替わるということが、さんざん繰り返されてきたでしょう。

井沢　都市のエリート層が農民を苦しめ、農民が怒って反乱を起こし、その後、天下を取った「元農民」がエリートとなって農民をいじめる。その繰り返し。

李登輝　エリートが愛国心を持っていないと、そういう国になるということです。日本は戦争に負けたことで、戦前の制度をすべて否定し、経済さえよければいいと60年間やってきました。だけど、振り返るべき時期に来ているんですよ。でないと、日本はアジアにおいても世界においても主導権を握れない。

井沢　なるほど。

李登輝　安倍総理が「国家安全保障会議」（ＮＳＣ）を創設したことも私は評価しています。

井沢　日本版ＮＳＣですね。首相を中心に官房長官、外相、防衛相の計４人が外交・安保政策の意思統一を図り、リーダーシップを発揮すると。私も非常に重要だと思います。

今まで、日本は外交ではやられっぱなしでしたからね。

李登輝　そう。「総理の独裁になる」という批判が上がっているが、それは間違い。むしろ今までは、大臣が勝手なことをやってきたわけでね。こういった組織を中心にして、閣僚が話し合って考え方をひとつにしなければいけない。中国と対峙するうえでもね。

私の場合も総統時代は、ＮＳＣのような組織（国家安全会議）をうまく使いました。国家指導者は、部下である大臣の意思統一をはかることが大切です。そういうことをしないから、あの厚生労働大臣みたいに失言[注9]をしてしまうようなね……。

井沢　よくご存じで（笑）。スキャンダルが次々に起きて、民心が離れています。

李登輝　たしかに、総理、少し脇が甘いなと。ただ、私も「人を見る目がない」とか「なんであんな人間を使ったんだ」と批判された経験はあります。それはわからないですよ。信頼してても裏切られることは誰だってあるでしょう。まさか大臣が「女性は子どもを産む機械」だなんて言うとは予想できないですよ。

井沢　まあそうですね。でも、安倍総理はちょっと優しすぎるんじゃないかと。さまざまな意見を吸い上げようとして、意見の合わない人も内閣に入れて苦労している。「切るべきは切る」と言っていたはずですが、徹底していない。

李登輝　総理になったばかりだからですよ。切れないものを無理して切る必要はないと私は思う。

井沢　そうですか。指導者の立場にあった方にしかわからないこともあると。私は少し性急すぎたかな（笑）。

では、布石の次は、どこに定石を打つべきか。大先輩として、安倍総理にアドバイスをされるとしたら。

李登輝　安倍総理には、すべての資源と権力が与党にあるということを認識してほしい。国会も与党が過半数を握っている。だから、国会ですべての問題を処理できるよう運営する術《すべ》を身につけることが重要です。

政治の世界では権力争いが必ず起きます。裏工作で政権を握った人は、しがらみを引きずりながら政治を行うことになる。しかし、安倍総理は権力争いをせずに政権を握った人です。ですから、日本国民の皆さんにも、もう少し寛大な気持ちで見守ってあげてほしいと思います。

井沢　今の時点で安倍総理を叩かず、長い目で見たほうがいいということですね。

李登輝　私は安倍総理は、政治家の家庭で生まれた人としては悪くないと思いますね。

決してお坊ちゃんみたいに感情に流されたりせず、自制力もある。彼は、お祖父さんが苦労されていたのを見てるし、さまざまな問題をどう処理すべきか、自分なりの回答を持っているはずだと思います。

台湾の日本精神が薄れ中国的になりつつある

井沢 安倍総理を高く評価されていることがよくわかりました。では、対談の最後のテーマとして、今後の日台関係はどうあるべきかを、おうかがいします。

李登輝 日台関係というのは、台湾に経済面や安全保障の面で問題が起きれば、即、日本に響くという関係です。台湾は日本の生命線です。その台湾をどういう方向に持っていくかについて、今まで台日米の3カ国で共同で考えてきた。しかし、私の実感としては、戦後、日本はあまり台湾をかばってくれなかった。

井沢 おっしゃるとおりです。台湾は日本の生命線であるということが、まだ日本人には理解されていないですね。

李登輝 たとえば、1996年に中国が撃ったミサイル。どこに落ちたかというと、与那国島と台湾の中間です。もし中国が台湾を併合すれば、すぐに沖縄も併合します。中国人の考え方からすれば、台湾だけでなく、沖縄も朝貢していたから中国の領土だったということになるし、後漢の光武帝の頃から日本は朝貢していたから日本も領土ということになる。

井沢　台湾が併合されれば、地政学的に見て日本は非常に危険な状態に置かれると。

李登輝　そうです。安全保障の面だけでなく、経済の面でも非常に密接な関係があり、運命共同体の関係にあるのです。なのに、日本人は台湾をあまり身近に感じてない。だから、まずは相互交流を活発にやるべきなんです。

台湾では戦後に中国式教育が導入されてから、日本の統治時代を暗黒の時代として教えてきましたから、日本に悪いイメージを持っている人もいる。だから、台湾人の日本留学を大いにやるべきだと思います。

井沢　台湾には〝哈日族《ハーリーズー》〟という日本文化に憧れを持つ若者がいますが、表層的な部分しか見ていない。これから日本語世代が引退していくと、日本との友好関係が保てるか不安があります。

李登輝　今の若い人は、自己を律するとか正直であるとか日本的な精神には注意を向けていない。だから、人的交流の強化で、初めて築けると思うのです。

私は日本から台湾に戻ったときにびっくりしたんですが、中国人というのは口がうまい。ところが何ひとつ実行しない。口だけ。それと、信念のようなものがなく、精神面が弱い。今の台湾でも日本的な精神が薄れてきて、中国的になりつつあるんです。

井沢　その流れを止めるために留学など人的交流が必要だということですね。

李登輝　ええ、そうです。もうひとつ大事なのは経済的な提携。たとえば、日本では労働者の賃金の問題でできないことを台湾でやる。あるいは、定年でリタイアしたさまざまな分野の技術者を台湾が受け入れる。

井沢　今は定年を迎えた技術者が、中国にけっこう流れていますからね。

李登輝　たしかに、経済協力の部分では難しい問題もあります。台湾新幹線[注10]が経済協力強化のきっかけになると期待していたんですが、現状では日本側に不満が高まっています。JR側はこうすればうまくいくとわかっているのに、こっちの連中が言うことを聞かない。運転士の訓練からマニュアルまで、問題が山積です。

井沢　今のところうまく運行できてないようですね。

李登輝　駅は駅、金融は金融、土木工事は土木工事とみんなバラバラで勝手なことをやって、他の分野は我関せず。チケット販売にしても、飛行機と同じシステムにしようとしてうまくいってない。だいたい、鉄道のことを熟知している台湾鉄道の人間を採用しないというのがおかしい。

井沢 台湾鉄道というのは、日本統治時代に国鉄の薫陶《くんとう》を受けてできたものですね。

李登輝 そう、まだみんな生きています。

井沢 ものすごく鉄道に詳しい人がいるのに、それを使わないのはもったいない。

李登輝 私のところへも「一度乗ってくれないか」と依頼が来たんだが、お断りしますと。

井沢 あ、まだ乗られていないんですね（笑）。

李登輝 私が乗ったら大変なんだ。人がどんどん乗ってきてしまう。

井沢 それで事故でも起こったら大変ですからね。

李登輝 経済協力は難しい面がたくさんありますが、それでも進めていかないと。あと、他では観光をどんどん増やすといい。台湾人の日本への旅行は、今はもうノービザだから、今年から増えているんです。

井沢 先年、札幌へ行ったら、ちょうど雪まつりの時期で、台湾の人ばっかりでした。

李登輝　ああ、そうですか。雪を見てみたいという台湾人は多いからね。金沢に行くチャーター便も増えていて、加賀屋という旅館には年間で1万人以上が泊まっているんです。

井沢　そんなに⁉

李登輝　金沢だけじゃなくて、北海道にも秋田にも岩手にもチャーター便が出ている。

井沢　日本の風景を味わいに来られているんですねえ。

李登輝　逆に日本の人々にも台湾に来てもらって、注11八田與一《はったよいち》さんなど、昔、台湾で大きな仕事をした日本人のことを紹介できると面白いと思う。

井沢　私も彼が建設した烏山頭《うさんとう》ダムを見に行ってきました。八田記念館もありましたね。

李登輝　八田さんは金沢のご出身で、それで台湾と金沢の交流が盛んになっているんです。

井沢　ああ、なるほど。それはとてもいい話ですね。

李登輝　ですからね、安倍総理には日中友好路線を進めながら、同時に日台関係の強化も進めていただきたい。日本、台湾、中国の三角関係のバランスをとって、うまくやることを期待している。胡錦濤は非常に戦略的なので、対日友好への転換をどう見るか難しい部分はあるけれど、少なくとも2010年までは攻め入ってくることはない。そのあいだに、日本が中国とのあいだで対等な関係を築ければ、台湾と友好を深めることに問題はなくなるでしょう。

注1 陳水扁政権の後継である馬英九政権時の2008年7月、中国大陸住民の台湾への団体観光が解禁された。さらに同年12月には直行チャーター便も就航。2015年、訪台中国人観光客は418万人とピークを迎えたが、その後の蔡英文政権との関係悪化で年々、観光客数は減っている。

注2 モーゼが自ら書き残したとされる『出エジプト記』には、モーゼがイスラエル民族の長として、エジプトから約束の地（カナン）への大遠征を指揮する様子が描かれている。李登輝氏が「台湾のモーゼ」と呼ばれたのは、台湾人を当時のイスラエル民族に、モーゼが渡る際に海が割れたという伝説を台湾海峡になぞらえたことによるもの。

注3 孔子は祖国の魯（ろ）で政治に登用されるも失望し、門弟たちを引き連れ14年にもわたる諸国周遊の旅に出たとされる。

注4 李登輝氏が設立した政治学校。政治思想や歴史学とともに武士道や日本精神についても李登輝氏が講義を行った。

注5 蔣介石の長男として1978年から総統を務めた。88年に死去すると、当時副総統だった李登輝氏に職務が継承された。

注6 2006年11月、陳水扁の妻、呉淑珍が総統府機密費の私的流用で起訴される。さらに陳自身、総統退任後の2008年汚職容疑で逮捕。2011年、陳は懲役2年8カ月、300万台湾元の罰金、妻は懲役11年6カ月、2200万台湾元の罰金、5年間の公民権剝奪の刑が確定した。

注7 中国の第4代最高指導者。前任の江沢民が反日政策を推進したのに対し、安倍晋三首相と戦略的互恵関係を打ち出すなど、対日関係を軌道修正する。一方で1989年、ラサで中国史上初となる戒厳令を布告するなど、強硬的なチベット政策を進めた。

注8 2007年1月11日、中国は地上発射ミサイルによる人工衛星破壊実験に成功した。ただし23日までそのことを公表せず、世界的に不信感が募った。

注9 2007年1月、第1次安倍政権の柳沢伯夫厚労相が、自民党の集会で「15~50歳の女性の数は決まっている。産む機械、装置の数は決まっているから、あとは一人頭で頑張ってもらうしかない」と発言。安倍政権の支持率低下にも影響を与えた。

注10 台北~高雄間(345キロメートル)を最短1時間半で結ぶ台湾高速鉄道。当初の予定は2005年10月開業だったが、工期の遅れやトラブルにより2007年1月開業。日本の新幹線「700系のぞみ」をベースとした車両を採用したことから「台湾新幹線」とも呼ばれる。2021年、日本側提示額の高騰により、台湾は新車両導入を取り消した。

注11 台湾の農業水利事業に貢献した技術者。台湾総督府内務局土木課に所属し、当時アジア一といわれた烏山頭ダムと1万6000キロメートルに及ぶ灌漑用水路の建設にあたった。

おわりに

2021年5月、私は独自のYouTubeチャンネル「井沢元彦の逆説チャンネル」を開設し、世界に向けて英語字幕付きで北京オリンピックボイコットを訴えたのだが、そのときにスペシャルゲストとして評論家の石平《せきへい》さんに来ていただいた（この動画は同チャンネルで視聴可能）。

石平さんはご存じのように中国人として生まれたが毛沢東の圧政に絶望し、日本に留学することによって民主主義に目覚め、今は日本人となった人である。もちろん中国人の心理心情にこれほど詳しい人はいない。その石平さんから驚くべき話を聞いた。

今回のコロナ騒ぎで、中国人民の習近平政権への信頼がかえって強くなったというのだ。弱くなったのではない、強くなったのである。耳を疑う話だと思うかもしれないが、氏の説明によればこういうことだ。

あの武漢でのロックダウン、いや住民を監禁するような強烈な対応によって、中国がその後の大幅な感染を食い止めたのは事実である。そこで中国共産党政府は次のように主張した。アメリカとかヨーロッパとか民主主義国は統制が取れていないから、われわれのように迅速で綿密な対応が不可能で、中国だからこそ可能だったのだ、と。

そして、これを聞いた中国人の多くはその主張に共鳴したという。反発したのではない。共鳴したのである。

また、こんな話もしてくれた。

中国には現在人口の倍ほどの監視カメラがあり、これらを顔認証システムと連動させ中国共産党は全人民の行動を監視し管理している。こんな話を聞いたら、アメリカやEU、日本など先進国の人々はどう思うか。「そんな監視社会はまっぴらごめんだ」「人間の自由はどうなるんだ」というのが率直な感想であろう。

ところが中国では、みんな喜んだというのだ。これで不当な犯罪や暴力が減るからだ。政府はそう主張し、国民もそれで納得したというのである。

この話が納得できない方は、もう一度序章の「いつまでたっても中国に民主主義が根づかない根本原因とは?」を読み直していただきたい。中国には民主主義の土壌がない。

民主主義社会の根本である平等、そこから発生する自由、そして「公」が「私」に優先する法治国家、それを実現する文化的伝統が中国にはまるでない。それなのに、経済的、軍事的には、今や世界最大級の大国になりつつある。民主主義を実現する可能性は、今のところ非常に低いのにもかかわらず、である。

こうした面についてさらに考察を深めたい読者は是非、この「石平氏との対談動画」及び『逆説の世界史 第1巻』（小学館）を見ていただきたいところだ。

おわかりだろう。中国はやはり「地球人類の難題」なのである。

2021年5月記す

井沢元彦

【著者】
井沢元彦（いざわ・もとひこ）
1954年、愛知県生まれ。早稲田大学法学部卒業後、TBSに入社し報道局に勤務。80年、『猿丸幻視行』（講談社）で第26回江戸川乱歩賞を受賞。退社後、執筆活動に専念し、歴史推理小説の分野で活躍する一方、日本史と日本人についての評論活動を積極的に展開。歴史についての鋭い考察は「井沢史観」と称される。
ベスト＆ロングセラーとなっている『逆説の日本史』『逆説の世界史』シリーズ（以上、小学館）、『崩れゆく韓国 あの国をダメにした五つの大罪』（ビジネス社）、『武田信玄 500年目の真実』（宝島社）など著書多数。

YouTube：井沢元彦の逆説チャンネル
(http://bit.ly/izawa_gyakusetsu)
Twitter：@m_izawa

帯写真提供：共同通信社

汚れた「平和の祭典」

2021年7月1日　第1刷発行

著　者　井沢元彦
発行者　唐津　隆
発行所　株式会社ビジネス社
〒162－0805　東京都新宿区矢来町114番地　神楽坂高橋ビル5F
電話　03－5227－1602　FAX 03－5227－1603
URL　http://www.business-sha.co.jp/

〈カバーデザイン〉常松靖史（TUNE）
〈本文DTP〉茂呂田剛（エムアンドケイ）
〈印刷・製本〉モリモト印刷株式会社
〈編集担当〉大森勇輝　〈営業担当〉山口健志

ISBN978-4-8284-2212-1

電子書籍もあります

ビジネス社の本

オードリー・タン 日本人のためのデジタル未来学

早川友久……著

オードリーは、常にどんな思考回路でいるのか？
オードリーは、なぜここまで自由に生きられるのか？
オードリーは、どのように「危機」を加速度的に「チャンス」へと変えたのか？
オードリーは、ダイバーシティ社会をどう切り開こうとしているのか？
オードリーは、私たち日本人にいったい何を教えてくれるのか？

AI、DXからダイバーシティまで
「天才オードリー流デジタル入門」の決定版!!

定価　1650円(税込)

ISBN978-4-8284-2266-4

本書の内容